SOBREPESO EMOCIONAL

Stéphane Clerget

Sobrepeso emocional

Cómo librarse de él sin dieta ni medicamentos

URANO

Argentina – Chile – Colombia – España
Estados Unidos – México – Perú – Uruguay – Venezuela

Título original: *Les kilos émotionnels – Comment s'en libérer*
Editor original: Éditions Albin Michel, Paris
Traducción: Francisco J. Ramos Mena

1.ª edición Mayo 2011

Copyright © 2009 *by* Éditions Albin Michel
All Rights Reserved
© 2011 de la traducción *by* Francisco J. Ramos Mena
© 2011 *by* Ediciones Urano, S. A.
Aribau, 142, pral. – 08036 Barcelona
www.edicionesurano.com

ISBN: 978-84-7953-777-7
E-ISBN: 978-84-9944-034-7
Depósito legal: NA-996-2011

Fotocomposición: Pacmer, S. A.
Impreso por: Rodesa, S. A. – Polígono Industrial San Miguel
Parcelas E7-E8 -31132 Villatuerta (Navarra)

Impreso en España – *Printed in Spain*

A Isabelle,
actriz de emociones infinitas

Índice

Introducción

Sin duda usted forma parte de esas personas que se quejan de tener exceso de peso. Y como muchas de ellas, probablemente habrá probado uno o varios tipos de regímenes con el fin de librarse de él. Y para más inri, en su proyecto de adelgazamiento seguramente habrá optado por practicar ejercicio físico, voluntariamente o bajo presión. Sin embargo, esos kilos de más se niegan a despegarse totalmente de usted, o bien, cuando al final lo hacen, no tardan en volver, y a veces todavía en más cantidad.

Pero lo más sorprendente es que hay hombres y mujeres que, sin cambiar nada en su modo de alimentarse y sin modificar en absoluto su gasto energético, ven, en algunas semanas, cómo su báscula les carga con varios kilos o, al revés, se los quita de encima.

Pierrette: «Yo era una adolescente gordita. Pero cuando en el instituto encontré al que todavía es mi compañero en la vida, en menos que canta un gallo perdí diez kilos sin cambiar mi modo de alimentarme. Tuve la impresión de haber salido de mi crisálida».

Marie: «Yo todavía vivía en casa de mis padres, y mi única hermana ya hacía dos años que vivía en el extranjero. Cuando ella volvía para pasar un tiempo en casa, aumentaba cuatro kilos en menos de una semana. Era indudable que su presencia me hinchaba».

Françoise: «Mi estrés aumentó rápidamente después de haber ascendido y de tener nuevas responsabilidades, y entonces engordé varios kilos en unos meses, mientras que mi peso se había mantenido estable desde hacía varios años».

Estos fenómenos, de los que todos nosotros hemos sido testigos, tienen una explicación: nuestras emociones actúan sobre nuestro peso. Esta acción tiene lugar de varias maneras. Las emociones pueden modificar nuestro comportamiento alimentario: bien sea en cantidad (vamos a comer más o menos), o bien en calidad (la elección de los alimentos puede variar con arreglo a los sentimientos emocionales). Nuestras emociones también intervienen en nuestra actividad motora y, por tanto, en el gasto energético que emana de ésta. Por último, nuestras emociones actúan directamente sobre nuestro peso, independientemente del comportamiento alimentario, e independientemente de la elección de los alimentos y del ejercicio físico, favoreciendo o, por el contrario, obstaculizando el almacenamiento de grasa. Esta influencia directa de las emociones se efectúa por medio de las hormonas o bien de los neuromediadores del cerebro, que en cierto modo constituyen las «secreciones» de las neuronas.

A esos kilos producidos por nuestras emociones propongo darles la denominación de *sobrepeso emocional.* Este sobrepeso concierne tanto a los niños como a los adultos, y por igual a los hombres y a las mujeres. Y los diferentes regímenes no pueden con él; al contrario, hacen que aumente.

Vamos a ver cómo se instala en nuestro organismo y sobre todo cómo librarse de él.

1

Sobrepeso, trastornos alimentarios y emociones

El sobrepeso se sitúa entre el peso normal y la obesidad. Para afirmar que un individuo tiene sobrepeso, también se debe tener en cuenta su edad, su sexo y su estatura. El índice de masa corporal (IMC) permite medirlo: se divide su peso en kilos por su estatura (en metros) al cuadrado. Así, una persona que pese 75 kg y mida 1,65 m tendrá el IMC siguiente: $75 / (1,65 \times 1,65) = 27,5$. Un IMC normal se sitúa entre 18,5 y 24,9. Puede hablarse de sobrepeso entre 25 y 29,9, y de obesidad más allá de 30. EL IMC es válido sólo para los adultos, excepto durante el embarazo, y no resulta adecuado para las personas muy musculosas (los culturistas). Pero no es un instrumento completo porque no tiene en cuenta ni la importancia del esqueleto, ni la masa muscular, ni la distribución de las grasas. La medida del contorno de cintura permite completar en parte dicho índice (hay que utilizar una cinta métrica que debe colocarse justo debajo de la última costilla, sin apretar la piel y después de haber espirado). De este modo el IMC puede predecir mejor los riesgos de padecer enfermedades cardiovasculares y diabetes, vinculados a un exceso de masa grasa. Estos riesgos comienzan a aumentar cuando el contorno de cintura excede los 94 cm en los hombres y los 80 cm en las mujeres.

En muchos países, como, por ejemplo, en Francia, el sobrepeso es un problema de salud pública: uno de cada cinco adultos tiene sobrepeso, y el 10% de los niños de diez años de edad, también. En Estados Unidos, lo padece un adulto de cada tres, e incluso uno de cada dos. La sobrecarga ponderal constituye un factor de riesgo para la salud, que favorece especialmente los trastornos cardiovasculares, la hipertensión arterial, los trastornos reumatológicos, la diabetes y ciertos tipos de cáncer. Todo ello justifica que haya que combatirla.

Asimismo, el sobrepeso tiene consecuencias emocionales que no son ni suficientemente tenidas en cuenta, ni estudiadas. Las personas que lo padecen se sienten menos guapas y atractivas, lo que apenas sorprende dado que los criterios estéticos actuales sobrevaloran la delgadez. Pero lo más asombroso es que también creen ser menos inteligentes, y, globalmente, menos interesantes que las demás. La sobrecarga ponderal provoca una infravaloración general de uno mismo.

El sobrepeso es un factor de rechazo social. Las personas con sobrepeso, y, con más razón, las obesas, no dejan a nadie indiferente. Y la presión que dichas personas sufren constituye una innegable carga emocional con la que tienen que arreglárselas. Además del rechazo provocado por la aversión que despiertan los que supuestamente se abandonan, también se da el caso contrario, es decir, existe una envidia inconsciente respecto a los que se atreven a disfrutar de su supuesta glotonería. Pero esta envidia provoca aversión, ya que tanto la una como la otra parte creen que se trata de un disfrute perverso. La piedad es otra respuesta posible, más dura aún, porque a las personas obesas les impide defenderse como lo harían frente a una agresividad directa. A los obesos se les suele contraponer con los deportistas y los modelos. Y el colmo es que estos últimos invitan al consumo a través de los soportes publicitarios que los utilizan.

Bien es verdad que nuestras sociedades capitalistas comienzan a alarmarse ante este excesivo consumo alimentario. Pero ¿acaso no será porque se produce en detrimento de otras modalidades de consumismo? Que el obeso no se esfuerce lo bastante, pase, pero a condición de que gaste. De ahí la presión social actual para que se movilice y para que su lucha le sirva de ayuda, pero sobre todo para que lo empuje a consumir más.

A las personas con sobrepeso no sólo se las considera menos hermosas y deseables para los demás, sino también blandas, carentes de voluntad, pesadas y molestas... Son víctimas de discriminación tanto a la hora de contratarlas como en muchas situaciones de la vida (acceso a la vivienda, a los transportes, a las discotecas, etcétera). Además, es indudable que este ostracismo tiene consecuencias emocionales para los individuos afectados. Y la carga de emociones negativas que produce ese rechazo refuerza la sobrecarga ponderal.

Regímenes y deporte, sí, pero...

Si adelgazar en un período corto parece fácil (el 75% de los individuos que hacen régimen pierden kilos al principio), mantener un equilibrio a largo plazo es difícil. Pasados cinco años, el 90% de las personas que han hecho régimen vuelven a su peso inicial, y a menudo aún engordan más.

Independientemente de cualquier factor emocional, el responsable de la sobrecarga ponderal es el exceso de calorías, en caso de aportes alimentarios superiores a las necesidades del organismo. En este caso, los regímenes bien hechos o la práctica de ejercicio físico están justificados para compensar este aporte excedentario. Sin embargo, cuando a modo de régimen se practica la restricción alimentaria, habitualmente se provoca un efecto rebote del peso. A ello cabe añadir, en caso de restricciones repetidas o prolongadas, los trastornos del comportamiento alimentario y una imagen personal degradada, con el consiguiente riesgo de depresión.

Tradicionalmente, a las personas que desean perder peso se les aconseja que hagan deporte. Y aunque es verdad que con la actividad física se queman calorías, el hambre que dicho esfuerzo genera incita a comer más para colmar lo que se ha perdido. Una persona equilibrada aumentará sus aportes alimentarios al practicar una actividad física y los disminuirá si deja de practicarla. Es el principio del equilibrio energético. No basta con hacer más deporte para adelgazar, sino que lo importante es practicar deporte sin aumentar los aportes calóricos. Ahora bien, las personas con sobrepeso tienen una especial dificultad para no responder en exceso a las demandas de su cuerpo.

Sin embargo, el deporte sigue estando indicado para librarse del sobrepeso emocional por otros efectos beneficiosos, además del (frustrado) de quemar calorías. Aumenta la estima en uno mismo. Favorece los vínculos sociales y, por tanto, refuerza la identidad social de los individuos. Psicológicamente, regula la tensión arterial e induce la secreción de endorfina, la hormona del bienestar, que actúa positivamente contra el humor depresivo, la ansiedad, el estrés y diversas emociones negativas, y, por tanto, contra el consecuente sobrepeso emocional. Una sesión de aeróbic o una marcha de tres cuartos de hora aportan un estado de relajación que puede durar de una a dos horas y que produce un impacto positivo sobre el humor. Por este motivo es mejor practicar deporte durante el día que al anochecer, ya que el estado de bienestar que se produce invita a aprovechar demasiado la velada y a retrasar la hora de acostarse.

En cambio, la falta de actividad física es una causa de sobrepeso, ya que, como no se queman bastantes calorías, tampoco se

«consumen» las emociones negativas, que son factores de sobrepeso emocional.

Las causas genéticas

Las causas genéticas también tienen que tomarse en consideración. En efecto, un niño tendrá un 40% de riesgo de volverse
obeso si lo es uno de sus padres. Y el porcentaje de riesgo as-
ciende al 80% si su padre y su madre lo son. En cambio, sólo
tendrá un 10% de riesgo de convertirse en obeso si ambos son
delgados.

En esta clase de personas, el organismo tiene una gran aptitud para economizar sus reservas y para fabricarlas con un mínimo de alimento. En ello están implicados diferentes genes, que
actúan por medio de diversas maneras (a través de hormonas
como la leptina o la melanocortina). Si existen unos factores genéticos que favorecen el almacenamiento de grasa, entre las personas genéticamente delgadas, en cambio, hay otros que facilitan la quema de calorías.

Pero la genética es una ciencia compleja. En efecto, aunque
se pueda heredar una predisposición genética a ser obeso, no
es seguro que tenga que ser así. Eso es lo que diferencia el genotipo del fenotipo. El genotipo es nuestra aptitud genética para
ser obesos desde el nacimiento. El fenotipo, en términos de peso,
es aquello en lo que nos convertimos al final. Porque el fenotipo
está sometido a la presión del medio, un medio que o bien permitirá que nuestras potencialidades genéticas salgan a la luz, o
todo lo contrario: las frenará. Así, en lo que se refiere al sobrepeso genético, las costumbres alimentarias, el modo de alimentación, la educación sobre los alimentos, el nivel de actividad
física y, por supuesto, los factores emocionales favorecerán, o

no, la expresión del genotipo. Además, a día de hoy aún igno-
ramos la dimensión genética de la transmisión de los factores
emocionales y de la capacidad individual para canalizarlos. Por
último, conviene añadir que, cuando un niño cuyo padre o madre es obeso tiene sobrepeso, ello no se debe necesariamente a
razones genéticas. En efecto, ser criado por unos padres obesos
aumenta el riesgo de acabar siéndolo también, aunque por otras
vías distintas a la de los genes; es decir, el niño también puede
sufrir la influencia de la relación concreta que sus padres mantienen con los alimentos o de su propia educación alimentaria.
Por otro lado, el sobrepeso de los padres puede deberse totalmente o en parte a factores emocionales. Y, en este caso, lo que
puede transmitirse al niño no son genes «malos», sino, a través
de la educación, una dificultad para hacer frente a las emociones negativas de otro modo que no sea engordando.

No hay que concluir, pues, que cuando la obesidad parece ser
hereditaria es imposible adelgazar, ni que no existan otras causas
asociadas con el aumento de peso sobre las que se podría actuar
(en especial causas emocionales). La expresión de los genes está
en interacción con el entorno. Actuando sobre el entorno alimentario, el nivel de actividad, la educación alimentaria y sobre
todo sobre el contexto emocional, reduciremos los riesgos de padecer sobrepeso.

Las causas educativas

Ciertas formas de educar privilegian la cantidad a la calidad,
por ejemplo, ofreciéndole al niño una gran cantidad de juguetes
antes que detenerse a buscar el juguete que de verdad le gustaría. O aún más, atiborrándolo de golosinas antes que decirle las
palabras adecuadas, y verdaderamente tranquilizadoras, cuan-

do está triste. En general, una forma de educación que, a imagen de la ideología imperante en nuestra sociedad, antepone el exceso, el «cada vez más», a la calidad de vida, que empuja a un consumo excesivo en detrimento de una elección reflexionada y vinculada con las verdaderas necesidades y deseos, constituye un factor de riesgo para aumentar de peso. Por desgracia, hoy en día consumir desmedidamente es el ideal que impera en nuestra sociedad de consumo. Y ello es así respecto a los excesos alimentarios, por supuesto, pero también respecto a otras actividades, así como respecto a las tecnologías (televisión, teléfono, automóviles, informática, etcétera), la información, la publicidad, Internet, etcétera. Nuestra sociedad de producción y consumo forja sin cesar mercancías que hay que destruir o que hay que digerir, y nos convierte en pozos sin fondo.

No debemos tragarnos los alimentos que nos gustan como si fuera la última vez que podemos acceder a ellos, ni fingir que no nos gustan y privarnos de ellos, corriendo el riesgo de que un día desfallezcamos y acabemos atiborrándonos. Es más sano saber que están disponibles y tomarlos sólo cuando tenemos verdaderas ganas de hacerlo. Así es como actuamos con nuestros mejores amigos. ¿O es que acaso el hecho de que los llamemos cuando estamos disponibles para ellos, y cuando ellos lo están para nosotros, o cuando deseamos verlos con urgencia, implica que vivamos con ellos las veinticuatro horas del día?

Las causas emocionales

Las causas emocionales no se han estudiado y tenido en cuenta lo suficiente respecto a la sobrecarga ponderal. Son independientes de otras causas, pero también pueden estar relacionadas con ellas. En efecto, en nuestras emociones influyen la cantidad de los alimentos ingeridos, su calidad, así como el sistema de alimentación (el que nuestros padres nos han transmitido u otro que rompe con él). Ya hemos visto más arriba que las actividades físicas actúan positivamente sobre la afectividad. La genética también influye sobre las emociones, auque sólo sea por el papel que desempeñan las hormonas o los neuromediadores, cuya producción puede depender, en parte, de los genes. Por último, la educación recibida, en todos los ámbitos, también ejerce una gran influencia sobre la estructura emocional.

Los trastornos de las emociones provocan alteraciones del comportamiento alimentario que a su vez favorecen los aumentos de peso. Los aumentos de peso tienen consecuencias emocionales. Y las emociones, con o sin los trastornos asociados del comportamiento alimentario, están en el origen de los kilos de más que se muestran resistentes ante el régimen.

Los trastornos del comportamiento alimentario

Un cierto número de perturbaciones del comportamiento alimentario provoca sobrecargas ponderales por aportes excesivos e ingestas mal reguladas. En gran parte, en el origen de estos trastornos pueden detectarse factores emocionales de naturaleza compleja.

El picoteo

Sentados delante de la pantalla del televisor al final del día, o soñando despiertos mientras hojeamos una revista, tragamos, sin pensar y sin tener hambre, mientras van desfilando las imágenes, pastas, golosinas o galletas de aperitivo. Este comportamiento tan frecuente es una situación de regresión a un estadio oral, semejante a la actitud de un niño de pecho que, harto y adormilado, continúa mamando por inercia. No se trata de la respuesta a una necesidad; aquí sólo se busca la dimensión de un placer pasivo. A menudo esta regresión está asociada a la regresión denominada «anal», que se manifiesta por medio de un descuido del aspecto. Volveremos a comentar detalladamente estos dos tipos de pulsiones orales y anales.

El ansia

El ansia es una sensación imperiosa de hambre, pero tan sólo relacionada con alimentos concretos y que nos gustan. El ansia termina una vez se ha calmado el hambre. No se vive con sentimiento de culpabilidad, al contrario de lo que sucede con la crisis bulímica, por ejemplo. El ansia también puede definirse como «hambre canina». Desde un punto de vista etimológico es, pues, una enfermedad, pero que de una manera simbólica nos remite a un animal considerado como el mejor amigo del hombre. La persona afectada no se percibe a sí misma como psicológicamente débil cuando cede al «mono», sino que tiene el sentimiento de que está satisfaciendo las necesidades de su cuerpo.

El ansia por los dulces es la más frecuente y afecta especialmente a mujeres jóvenes y febriles. Al estar acompañada por malestar, mareo y cansancio, el ansia se corresponde con un descenso de la glucemia, es decir, del índice de azúcar en sangre, causado habitualmente por un régimen demasiado restrictivo. Pero también existen estados de ansia sin que haya un verdadero descenso de la glucemia. Responder al ansia engullendo a toda velocidad pasteles o embutidos es como meterse un «chute» de azúcar o de serotonina, el neurotransmisor del cerebro que aumenta después de haber ingerido masivamente sustancias azucaradas o saladas y que provoca bienestar.

Para luchar contra esos ataques de hambre, en el plano dietético se aconseja optar por consumir un producto lácteo, una fruta o una barrita proteínica antes que grasas o azúcares. Y desde una perspectiva psicológica, ¿por qué no intentamos devorar emocionalmente otra cosa que no sea comida? Por ejemplo, ¿por qué no besamos a la persona amada si tenemos ocasión de hacerlo, o le damos un abrazo a ese compañero con el que nos entendemos tan bien, o nos vamos al cine —evitando el capítulo palomitas—, o, si nuestro bolsillo lo permite, llamamos a una agencia de viajes para regalarnos ese fin de semana en Roma en el que venimos pensando desde hace meses? Resumiendo, se trata de provocar una emoción fuerte y agradable que, sin aportar calorías, libere serotonina.

Paradójicamente, uno también puede provocarse un estado de nerviosismo, de estrés, con el fin de liberar azúcar en la sangre a través de una secreción de adrenalina. Pase miedo; por ejemplo, móntese en una atracción tipo montaña rusa, llame por teléfono al incordio de su prima para decirle cuatro verdades, o envíe un correo electrónico al director de recursos humanos de su empresa, solicitándole una cita para pedirle un aumento. A cada cual le corresponde encontrar una situación susceptible de activar una emoción fuerte, positiva y útil, o que le permita desahogarse.

La chocomanía

El chocolate tiene muchos adeptos. Para algunos, como Fabienne, que come más de 100 gramos cada día, es una verdadera manía, de ahí la reciente terminología de «chocomanía» que lo convierte en un trastorno alimentario específico.

El chocolate está asociado a los placeres de la infancia. Simbólicamente, es portador de dulzura, de ternura, de calor y de sensualidad. Da la imagen de ser un producto sano. Cabe distinguir entre los que prefieren el amargor del chocolate negro, de aquellos (ocho veces más numerosos) que lo prefieren con leche, azucarado y relleno. Siguiendo en el plano simbólico, es como si entre sus adeptos hubiera una especie de búsqueda del paraíso perdido de la infancia y de una burbuja protectora (más bien materna —como he podido constatar— respecto al chocolate con leche, y paterna en lo que se refiere al chocolate negro). La chocomanía no sólo concierne a individuos con carencias afectivas, sino también a personas que simplemente no han renunciado a las relaciones afectivas propias de su infancia (padres, abuelos o amas de cría).

En el chocolate hay mucho más de mil sustancias gustativas diferentes. La chocomanía es, pues, y ante todo, una cuestión de gusto. Pero también tiene que ver con las vivencias emocionales, porque el chocolate está relacionado con la bioquímica de las emociones. El aporte de azúcar y de grasa que produce activa la secreción de serotonina, el ya citado neurotransmisor del bienestar (el mismo cuya tasa sube bajo el efecto de muchos antidepresivos). Además, el chocolate contiene triptófano, un aminoácido esencial presente en la composición de la propia serotonina. Asimismo, contiene tiramina, feniletilamina, cafeína y teobromina, que estimulan el sistema nervioso, facilitan el esfuerzo, aumentan la vigilancia y la eficacia intelectual, y tienen también un efecto antidepresivo. El chocolate aumenta las tasas de endorfina, la morfina natural que nuestro cuerpo fabrica especialmente después de hacer deporte y que posee un formidable efecto de descanso y de apaciguamiento de los dolores de todas clases. En su composición, también encontramos anandamina, el THC natural, un elemento parecido al que hace que para algunos la marihuana sea una delicia, aunque, no hay por qué asustarse, en dosis ínfimas. Por último el magnesio, sobre todo presente en el chocolate negro, tiene un efecto relajante sobre el sistema neuromuscular. Así pues, en el chocolate hay que tener en cuenta todos estos efectos emocionales producidos por los diferentes compuestos.

Limitar la ingesta de chocolate, si este alimento representa una aportación calórica excesiva en la dieta diaria, implica, pues, elegir una alternativa que siga suministrándonos sus compuestos activos. Como alternativas posibles, pueden citarse el café, determinadas plantas (el hipérico, por ejemplo), el deporte u otras actividades placenteras que ponen en marcha la secreción de endorfinas y de feniletilaminas.

También es conveniente buscar los posibles orígenes del malestar en cuestión, y recurrir a otras fuentes tranquilizadoras o gratificantes, si sobre todo se pretende lograr un efecto antidepresivo.

El síndrome de la alimentación nocturna

Las señales de este síndrome son: levantarse en plena noche y medio dormido para ingerir una importante cantidad de alimentos, generalmente de alto contenido en azúcares y grasas, sin casi guardar memoria de ello al despertar, lo que algunas veces está emparentado con el sonambulismo. Con frecuencia, las personas que lo padecen se muestran ansiosas, estresadas o coléricas. Este síndrome tiene lugar a todas las edades y afectaría al 5% de los niños obesos. Concierne sobre todo a los adolescentes que invierten su ritmo; es decir, que se muestran soñolientos durante el día y comen por la noche, al abrigo de toda coacción paterna sobre los modos o los contenidos alimentarios.

La hiperfagia

Este comportamiento alimentario se caracteriza por un exceso regular tanto de la cantidad de comida en el plato como por el modo de llevársela a la boca (grandes cucharadas, bocados a un ritmo muy rápido y masticaciones breves). Puede ser una característica familiar. Algunas veces la hiperfagia llega a tener un aspecto patológico, lo que traduce la nueva terminología de «hiperfagia bulímica», que se sitúa en la encrucijada de la hiperfagia y de la bulimia descrita más adelante.

Esta entidad patológica no se reconoce como tal en todos los países, como, por ejemplo, en Francia, pero, según los psiquiatras estadounidenses, es más frecuente (el 3,5% de las mujeres y el 2% de los hombres) que la bulimia (el 1,5% de las mujeres y el 0,5% de los hombres) y, contrariamente a esta última, se halla más asociada por naturaleza con la obesidad.

Este trastorno se caracteriza, por lo menos —pero a menudo más—, por dos ingestas semanales de grandes cantidades de alimento. Las comidas o los refrigerios tienen unas proporciones desmesuradas que van mucho más allá de la saciedad, y el individuo es incapaz de parar de comer. Sin embargo, no presenta ni el carácter de obnubilación[1] ni la programación propia de la crisis bulímica. Probablemente, la hiperfagia esté fomentada por regímenes hipocalóricos demasiado estrictos, sin apoyo psicológico, ya que con frecuencia está asociada con trastornos afectivos, bien sea trastornos del humor o de la ansiedad.

---

1. Entumecimiento psicológico, segundo estadio.

La crisis bulímica

Me limitaré a citarla aquí porque la describiremos en detalle más adelante. No está asociada con una verdadera sensación de hambre, sino con un estado de malestar psíquico. Conduce a ingerir, en un segundo estadio, importantes cantidades de alimentos, muy ricos en calorías, y se interrumpe con la aparición de dolores físicos vinculados a la distensión del estómago y seguidos de vómitos. Habitualmente se halla precedida por una preparación que consiste en comprar alimentos cuando se está solo. La bulimia da lugar a un estado de embotamiento y después a un sentimiento de vergüenza.

Cómo actúan las emociones sobre nuestro peso

Detrás del simple hecho de tomar un yogur para satisfacer las ganas de comer o de cerrar un tarro de mermelada una vez que se está harto, en nuestro organismo, y en particular en nuestro sistema nervioso central, hay toda una cascada de reacciones químicas.

Cuando los alimentos llegan al cuerpo, o cuando se siente la necesidad de ingerir calorías, los receptores lo registran a través de las células nerviosas u otras células. Entonces, al nivel de estas últimas, se producen modificaciones eléctricas o bioquímicas que son captadas y transmitidas al cerebro por las hormonas que circulan por la sangre o por los nervios. Las hormonas son unas proteínas mensajeras que están en la sangre y que ponen a los diferentes órganos, entre los que se halla el cerebro, en contacto entre sí.

Mensajeros en el cerebro: los neurotransmisores

A nivel del cerebro propiamente dicho, hay diferentes zonas que actúan en el comportamiento alimentario. Dichas zonas se comunican entre sí y con el resto del organismo a través de los neurotransmisores, sustancias secretadas directamente en el cerebro: la serotonina, la dopamina, la melanocortina, la coliberina, la galanina, etcétera.

Entre estas zonas implicadas, el hipotálamo, glándula situada en la base del cerebro, es el verdadero director de orquesta de todas nuestras secreciones hormonales. Regula, por ejemplo, las hormonas sexuales o las hormonas tiroideas que, como su nombre indica, están secretadas por la glándula tiroidea ubicada en la base del cuello. Además de otros papeles, tanto las hormonas sexuales como las hormonas tiroideas entran en interacción con nuestras emociones y nuestro peso. Así, un exceso de hormonas tiroideas (hipertiroidismo) provoca adelgazamiento. Y a la inversa: un defecto de secreción de las mismas (hipotiroidismo) conlleva una disminución de la velocidad física y cerebral (fatiga) asociada con el aumento de peso. Las hormonas sexuales también intervienen, lo que explica, especialmente, el aumento de peso durante la pubertad o la menopausia.

En el cerebro hay otras zonas implicadas, como el sistema límbico, sede de nuestras emociones. Este sistema está permanentemente relacionado con el hipocampo, que gobierna en gran parte nuestra memoria. Este hecho es el que explica que nuestras emociones pasadas, en especial nuestras vivencias infantiles, tengan que ver con nuestros aumentos de peso emocionales de hoy.

Por último, el córtex, que ocupa la superficie de nuestro cerebro, lleva a cabo la síntesis de las diversas informaciones que nos llegan desde adentro.

Mensajeros en la sangre: las hormonas

Existen varias hormonas implicadas en el aumento de peso. Con todo, es posible que no las conozcamos todas y que todavía tengamos que aprender sus mecanismos de acción en este ámbito.

La insulina está secretada por el páncreas (un órgano digestivo) y almacena el azúcar. El glucagón es la hormona opuesta a la insulina, ya que, al contrario de esta última, libera el azúcar en la sangre. La cortisona y sus derivadas, secretadas por las glándulas suprarrenales (pequeñas glándulas localizadas por encima de los riñones), también desempeñan un gran papel en nuestras emociones, nuestro humor y en particular en el estrés. Asimismo, actúan sobre la distribución de la grasa, favoreciendo especialmente una sobrecarga de grasa en el abdomen y a la altura de la espalda, y provocando, en caso de exceso, una fundición muscular.

La función de la leptina, que proviene directamente del tejido adiposo, es la de señalar la saciedad. Cuando su secreción disminuye, dejamos de sentirnos saciados y seguimos teniendo hambre.

La grelina, recientemente descubierta, es una hormona que secreta el tubo digestivo antes de comer. Su índice de secreción disminuye al final de la comida. Esta hormona estimula el apetito. Actúa sobre el hipotálamo, pero también lo hace directamente sobre las zonas del cerebro[1] que regulan la satisfacción, la motivación y las dependencias. Asimismo ejerce una acción directa sobre las zonas que regulan la memoria, las emociones y la información visual. Bajo su influencia, los centros de recompensa[2] del cerebro se aceleran más cuando el individuo se halla ante el alimento. Como puede verse, las hormonas que regulan el hambre están relacionadas con el cerebro emocional.

---

1. La amígdala, el neostratium y el córtex orbitofrontal.

2. Zonas de secreción de dopamina (un neurotransmisor que induce bienestar mental) activadas por ciertas sustancias.

La obestatina, al revés de la grelina y aunque la estructura de ambas sea comparable, es una hormona que quita el hambre. Al contrario de la grelina, la obestatina ralentiza la digestión. De hecho, ambas actúan de manera complementaria.

Esta lista de las hormonas que actúan sobre el peso no es exhaustiva. Por otro lado, las hormonas actúan de manera compleja. Se combinan entre sí y con la acción de los neurotransmisores. Las hormonas y los neurotransmisores actúan sobre nuestras emociones, y también constituyen las vías de acceso de la acción de estas últimas sobre el sobrepeso emocional.

Pero las emociones no se limitan a actuar en el cuerpo a través de las hormonas o de los neurotransmisores. También participan en la representación que uno tiene de sí mismo. Esta representación, consciente o no, explica los trastornos del comportamiento alimentario, así como que ciertas partes del cuerpo acumulen más grasa que otras. En el curso de este libro veremos cómo se produce todo eso, pero antes permítanme que desarrolle la noción del *esquema emocional* del cuerpo.

La influencia de nuestras emociones sobre nuestro cuerpo

Nuestras emociones ejercen una influencia sobre nuestro aspecto y nuestro porte a través de diferentes maneras.

El modo como uno se viste dependerá del humor y de la imagen que se quiera dar, así como de la que el individuo tiene de sí mismo. Según como nos encontremos, nuestro atuendo será afectado, seguro, informal... Es fácil percibir los hombros caídos, la mirada baja y los pies hacia dentro del individuo tímido, o bien la cabeza alta, la mirada penetrante y el torso erguido de la persona que está contenta consigo misma.

Desde una perspectiva más estructural, el sobrepeso emocional se ubicará en diferentes lugares del cuerpo, naturalmente, dependiendo de la fisiología, pero también de su significado simbólico.

Las emociones también actúan sobre la estatura, que no sólo depende de los genes y de la alimentación (se ha comprobado que los hijos de los individuos asiáticos que se instalaron en Estados Unidos en el siglo xx tuvieron un crecimiento espectacular con relación a sus ascendientes), lo que es uno de los factores que explican las diferencias de estatura en el seno de una misma familia. El ejemplo extremo es el nanismo psicosocial, que afecta, por ejemplo, a aquellos niños que padecen un estado depresivo que puede durar varios años, un estado que pasa desapercibido y del que nadie se ocupa, y que son víctimas de un crecimiento insuficiente. En efecto, la depresión prolongada provoca una disminución de la secreción de la hormona del crecimiento.

La influencia del cuerpo sobre las emociones

Asimismo y a la inversa, nuestra apariencia también influirá sobre nuestras emociones. Y ello por el propio impacto del físico tanto sobre la imagen que tenemos de nosotros mismos, como sobre la que los demás tienen de nosotros. El individuo es juzgado y se juzga a sí mismo en función de su aspecto. Y esa mirada y ese juicio aplicados a alguien en concreto le suscitarán emociones positivas o negativas.

Durante mucho tiempo se ha considerado que los hombres gruesos eran fuertes. Durante siglos, estar gordo ha sido sinónimo de gozar de buena salud y ser rico. Hoy en día, en Occidente el orden de las cosas se ha invertido. Ser gordo equivale a ser débil y a tener mala salud, y la obesidad aparece cada vez más asociada con la pobreza (el sobrepeso está más extendido entre las capas populares), mientras que la delgadez se asocia con la riqueza y con la salud. Tenemos, pues, una mala imagen de nosotros mismos cuando nos vemos gordos. Aunque todavía persista, sobre todo entre los hombres, la imagen del gordinflón simpático y gracioso —¡a pesar de que la inmensa mayoría de los cómicos hoy sean delgados!—. Así pues, con frecuencia esos kilos de más constituyen una fuente de malestar y de frustración, lo que puede generar sobrepeso emocional, que acabará sumándose a los kilos ocasionados por los excesos calóricos o por los genes.

El modo de percibirse a sí mismo, gordo o delgado, fuerte o endeble, o pesado o ágil, varía de un individuo a otro y no sólo está vinculado, ¡ni mucho menos!, a criterios puramente objetivos de peso, estatura, volumen, masa grasa, ósea o muscular. En este punto, los factores emocionales son decisivos. Por ejemplo, una persona poquita cosa, bajita y desproporcionada, puede llegar a sentirse con el empuje y la fuerza necesarios para llegar a ser presidente de la nación. Y otra de constitución corpulenta, recubierta de músculo y grasa, puede verse como si fuera un ratoncito, sin ningún peso, en especial sin ningún peso social. Para la misma persona, la percepción interna de su peso, un peso objetivo constante, también es variable. Dicha percepción depende de circunstancias externas; así, en el ascensor o en una atracción de feria, los juegos de la gravitación modifican nuestra percepción. La naturaleza del suelo también influye en esta sensación: si uno está de pie sobre una cama elástica o bien sobre un pavimento de macadam, tiene la impresión de no pesar lo mismo. Y algo similar sucede al estar en el agua o debajo de ella si se practica submarinismo. Asimismo, la percepción que internamente tenemos de nuestro peso es resultado de nuestra postura y movilidad; según estemos en posición horizontal o de pie, percibiremos nuestro peso de modo distinto: acostados nos sentimos más pesados que cuando estamos de pie, por ejemplo. La percepción de nuestro peso también variará dependiendo de si estamos inmóviles desde hace mucho rato o si estamos corriendo. El conjunto de estos factores (emocionales, físicos y del entorno) resulta evidente en el siguiente testimonio de Leila: «Aquella maravillosa mañana de julio, de vacaciones con mi amor, corría descalza por la playa desierta y la cálida brisa me abrazaba. ¡Jamás me había sentido tan ligera…!»

La imagen que se tiene de uno mismo también difiere dependiendo de la edad, aunque, cuando se es adulto, las modificaciones que progresivamente se producen no tienen nada que ver en términos de importancia con las que se observan en el desarrollo del niño pequeño o incluso del adolescente.

Naturalmente, en nuestro cerebro existe una representación de nuestro cuerpo que no sólo evoluciona en función de los cambios corporales que van produciéndose a lo largo de nuestra existencia, sino también con arreglo a los acontecimientos que emocionalmente nos afectan. Resumiendo, en nuestra psique hay dos mapas de nuestro cuerpo:

El primero se denomina *esquema corporal*. Este esquema está definido por el modo como se produce la llegada de los nervios y de la sensibilidad, interna y externa, al cerebro. Varía poco de un individuo a otro.

El segundo mapa, al que podríamos denominar *esquema emocional*, es más específico de cada individuo. Cada parte del cuerpo está ilustrada de forma distinta, dependiendo del modo como esté emocionalmente implicada en el transcurso del desarrollo.

Si se tratara de los mapas de un país, en el primero veríamos el nombre de las ciudades más o menos importantes, de las provincias y las regiones. Y el segundo llevaría las marcas de nuestros viajes y de nuestras vivencias; por ejemplo, tal región aparecería coloreada en negro porque no la conocemos, tal otra en azul porque nos gustó, tal provincia tendría un distintivo porque nuestra familia procede de ella, etcétera.

El esquema corporal

El esquema corporal, nuestra carta neurológica, se localiza de manera muy precisa en la superficie del cerebro: la parte lateral izquierda (el lóbulo parietal). Da la conciencia del propio cuerpo. Confiere la posibilidad de visualizarlo, de conservar su equilibrio y, gracias a sus percepciones, de dirigirlo convenientemente. Si un mosquito nos pincha en el muslo, la zona correspondiente es estimulada en el cerebro y nos designa el lugar del dolor y, en este caso, de la agresión. También localizamos las sensaciones que emanan de los órganos internos, como las palpitaciones de un corazón que parece salirse del pecho.

El esquema corporal no es absolutamente proporcional en nuestro cuerpo, ya que depende del grado de sensibilidad de cada una de sus partes. Así, el vientre y la espalda, poco inervados, ocupan un lugar muy reducido en la representación. En cambio, la cara, las manos o, incluso, los órganos sexuales, especialmente inervados, cubren un gran espacio. Esta distribución de la inervación, diferenciada en una u otra zona del cuerpo, da al esquema corporal un aspecto de gárgola, con un cuerpo pequeño y unos miembros muy reducidos, los cuales contrastan con una cabeza, unos órganos sexuales y unas extremidades predominantes. Grosso modo, es la misma para todos. En el transcurso del desarrollo del niño, que es rápido comparado con la relativa estabilidad del de los adultos, los planes de montaje se reactualizan constantemente. Así, a lo largo de la adolescencia, la adaptación necesaria respecto al nuevo cuerpo que se está formando explica la torpeza de esta etapa.

Conviene destacar que las zonas grasas, al no estar inervadas, no aparecen en el esquema corporal; éste, pues, no se ve modificado en el individuo obeso. En cambio, si el sobrepeso duradero influye en la sensibilidad nerviosa, es posible que ello quede reflejado en el esquema corporal.

El esquema emocional

El esquema emocional del cuerpo podría corresponder a lo que François Dolto describía, en una obra notable, como la «imagen inconsciente del cuerpo». No está vinculado a una percepción como la vista o el olfato, y no está elaborado a partir de los nervios de la sensibilidad externa o de los órganos internos como el esquema corporal, pero corresponde a una representación psíquica cuyas bases son inconscientes. Mientras que el esquema corporal es común en todos los individuos, el esquema emocional es específico de cada uno de ellos.

Dicho esquema se forma a partir de nuestra propia historia, a partir de nuestros deseos, a partir de nuestras emociones, a partir de nuestro imaginario y a partir del sentido íntimo que hemos conferido a cada una de las experiencias a las que nuestro cuerpo ha sido sometido. Se va formando progresivamente. El recién nacido se percibe como un todo con su entorno, y, a medida que va experimentando, a medida que va aprendiendo y a medida que va sintiendo emociones, empieza a diferenciar sus espacios internos y externos tal como se diferencia mentalmente de los demás. A lo largo del desarrollo del niño, el esquema emocional es objeto de una revisión permanente. Cada uno de nosotros tendrá una imagen del conjunto de su cuerpo y de sus diferentes componentes con arreglo a sus propias experiencias emotivas y de las percepciones relacionadas con éstas. El esquema emocional nos proporciona el sentimiento de nuestro cuerpo vivo, entero y con sus propias limitaciones, un cuerpo que alberga afectos y un sistema de pensamiento. Así pues, tenemos una representación de nuestro cuerpo estático, que se establece a partir del año y medio de edad, y una representación funcional de las diferentes acciones de nuestro organismo.

El esquema del bebé se va construyendo a través de la interacción con los demás, especialmente con un padre o madre sobreprotectores, y en un estado relacional en el que la percepción sensorial y la experimentación emocional están estrechamente imbricadas. El pequeño asocia sus diferentes experiencias, su «yo piel», su «yo boca», identificándose con un tercero que le protege. Entonces, esas diferentes piezas de rompecabezas, esos diferentes sentimientos se enlazan y poco a poco van formando el esquema emocional.

Los trastornos del esquema emocional

La noción del esquema emocional del cuerpo es la que nos permite comprender un cierto número de trastornos de nuestra conciencia:

- La noción del miembro fantasma: cuando a una persona se le amputa un miembro, lo sigue sintiendo durante años, en general de una manera dolorosa, como si ese miembro siguiera estando presente.
- En la patología anoréxica avanzada, las chicas continúan viéndose gordas, mientras que no son más que piel y huesos.
- En la dismorfofobia, que generalmente se declara en la adolescencia, la persona se fija en una parte de su cuerpo de modo duradero e insistente. Eso puede afectar a todas las partes del organismo, pero estadísticamente ciertos segmentos se ven afectados con más frecuencia: la nariz, los senos, el pene, la calidad de la piel… En realidad, sin

embargo no existe una gran diferencia con arreglo a la norma. A menudo, este trastorno del esquema emocional es pasajero, y puede explicarse debido a las considerables remodelaciones físicas de la adolescencia, que hacen que el joven tenga que acostumbrarse a su nueva anatomía. Si el trastorno persiste, hay que consultar a un médico especialista, el cual buscará su origen en la historia afectiva del sujeto. La dismorfofobia revela en especial un trastorno relacional de la infancia, que aparece para alterar la elaboración del esquema emocional del cuerpo. Por ejemplo, es posible que un niño se haya construido una imagen de su cuerpo alterada en su arquitectura debido a las carencias padecidas, o a las estimulaciones excesivas o los ritmos incoherentes de los cuidados recibidos en su crianza, o también como consecuencia de un maltrato físico o sexual.

Asimismo, entre los adolescentes los trastornos del esquema emocional se expresan por medio de frecuentes impresiones de extrañeza respecto a su propio cuerpo, un cuerpo que ellos consideran amenazado en su integridad o del que a veces se sienten desposeídos. Todo ello se manifiesta en sus pesadillas, que se caracterizan por estar plagadas de deformaciones o desintegraciones corporales; en sus dibujos, que representan personajes desestructurados o escenas *gore*, que no tienen nada que ver con los dibujos tan ordenados de los niños; en su interés por las películas de terror o fantásticas (en las que los personajes son medio hombres, medio robots o medio animales, o incluso entes exteriores, tipo *Alien*, que toman el control sobre los humanos); o también se expresa explícitamente en sus declaraciones, cuando los adolescentes se sienten seguros y no tienen miedo de que los tomen por locos.

Este concepto de esquema emocional permite comprender también que personas que han sido obesas durante mucho tiempo continúen sintiéndose gordas después de un régimen de adelgazamiento, y que su psique les envíe la orden de comer para recuperar su imagen anterior; y a la inversa, que personas con sobrepeso se imaginen delgadas, lo que demuestra que esos kilos de más no están integrados positivamente en la identidad, sino que se arrastran con ánimo negativo o sólo sirven como protección (los kilos desempeñan el papel de un caparazón o de un edredón).

El esquema emocional de nuestro cuerpo constituye, pues, su representación abstracta. El hecho de que cada zona del cuerpo esté cargada de emociones y de símbolos explica que cada uno tenga de sí mismo una representación singular y única, y que no se vea tan sólo como un cúmulo de carne y huesos. Mientras que para el esquema corporal neurológico el cuerpo es una máquina, para el esquema emocional es, de hecho, una obra de arte.

La memoria de los kilos

El cerebro guarda en su memoria la imagen del cuerpo, su volumen y posiblemente hasta su peso. Y cuando por causa de un régimen demasiado estricto se pierde peso rápidamente, el cerebro procura recuperar su habitáculo habitual, procurando —a través de los comportamientos alimentarios, de las secreciones hormonales y del nivel de actividad y de vigilia del organismo— que el cuerpo recupere el volumen y el peso que tenía antes. El cerebro humano es conservador y no le gustan demasiado los cambios demasiado bruscos.

Entonces, ¿acaso la memoria es una enemiga de la pérdida de

peso? ¡Ni mucho menos! Hasta podemos convertirla en una aliada. Primero porque la memoria no está grabada en el mármol de las neuronas, sino que evoluciona y se modifica sin cesar.

Además de la memoria individual, hay una memoria colectiva. Los individuos nos adecuamos a la imagen que los demás esperan de nosotros. Y los cerebros de los otros son tan conservadores como el nuestro. Los demás, al estar acostumbrados a la imagen que tienen de nosotros, querrían que nos mantuviéramos fieles a dicha imagen.

Hay que desconfiar de los recuerdos porque reescriben la historia. Lo sucedido se interpreta en una versión particular cuyos diferentes detalles se percibirán de diferentes maneras. Y las reminiscencias harán que se acabe exagerando o borrando tal o cual detalle. Así, de reescritura en reescritura, el recuerdo se aleja de la realidad. Las emociones modifican el conjunto de los componentes de la memoria, exagerando o anulando ciertos detalles memorizados y el sentimiento de realidad de un recuerdo.

En cambio, la memoria participa mucho en la construcción, y, de hecho, en la imagen que uno tiene de sí mismo, y en parte define la relación que tenemos con los demás.

Precisamente, trabajando sobre los diferentes tipos de memoria (memoria episódica, semántica, la de los conocimientos generales), es como el individuo puede adquirir una nueva imagen de sí mismo, verse de otro modo, considerarse de otro modo y considerar de otro modo su entorno. La representación de uno mismo evoluciona no sólo gracias a la experiencia de la vida, sino también gracias a un trabajo personal sobre su memoria que puede llevarse a cabo con la ayuda de un psicólogo o un hipnoterapeuta. La construcción mnésica de uno mismo puede modificarse. La repetición interna de los recuerdos, que consiste en repensar, en escribir o en comunicar con los demás, hace que destaquen ciertos detalles que modifican la representación. Éste es el motivo de que hablar de uno mismo, de la o del que se es, pero también de aquella o aquel que se era, modifique la imagen que el individuo tiene de sí. La repetición externa, que consiste en revivir acontecimientos similares a aquellos que se vivieron, también es de suma ayuda para ello. Podemos comprobarlo fácilmente cuando vemos de nuevo, al cabo de los años, una película que había marcado nuestra memoria episódica: la película no nos afecta del mismo modo, y escenas que nos habían marcado ya no nos conmueven; y hasta sucede lo contrario, reparamos en detalles visuales y sonoros, o en mensajes que no habíamos percibido o que no nos habían dejado ninguna huella. Asimismo, nuestras relaciones afectivas presentes nos pueden llevar a recuperar situaciones afectivas pasadas y a revivirlas de otro modo. Revivir un acontecimiento en repetición externa permite pasar de lo episódico a lo semántico, semantizar el acontecimiento; es decir, darle sentido. Por ejemplo, un niño que va a un restaurante por primera vez guardará una huella emocional única en su memoria episódica, y cuanto más frecuente los grandes restaurantes, más cosas aprenderá sobre la restauración en general —lo que hará que se active su memoria semántica— y más se borrará su memoria episódica, transformando el mapa emocional que tiene de sí mismo. Ahora bien, la modificación de nuestro mapa emocional tiene consecuencias sobre la distribución emocional de nuestra grasa.

El cuerpo está construido emocionalmente y está cargado de emociones por medio de la psique. En consecuencia, ¿acaso no es lógico que la psique cargue emocionalmente con lo que el individuo consume? ¿Y que comamos de una u otra manera dependiendo de nuestras emociones? Todos somos, en diversos grados, por supuesto, «comedores emocionales»[1].

---

1. Según la denominación de Daryl O'Connor, de la Universidad de Leeds.

2

Hay que reparar en lo que nos incita a comer

El alimento no es tan sólo un material de construcción o un combustible para el cuerpo, sino que constituye una parte muy importante de nuestro sistema emocional. Eso es algo que se pone en evidencia cuando vemos cómo se consuela a un niño dándole un dulce o una golosina. A cualquier edad, tanto el beber como el comer pueden utilizarse para dar consuelo, colmar un vacío, compensar el aburrimiento o atenuar la tristeza. Una mala regulación de nuestras emociones puede inducir variaciones de peso sin que existan verdaderos excesos alimentarios o trastornos del comportamiento alimentario. Ésta es la razón de que los regímenes o el ejercicio físico por sí solos a menudo sean insuficientes para reducir de modo duradero una sobrecarga ponderal.

Las variaciones de nuestro estado psicológico y afectivo, o relacional, influyen sobre nuestro modo de alimentarnos tanto en la cantidad como en la calidad. Los comedores emocionales piensan en la comida cuando se notan ansiosos, emotivos o negativos. Para ellos, fijar su atención en los alimentos y en su ingesta es una manera de no pensar en las emociones negativas, pero también de evitar tener conciencia de sí mismos. A veces, una ingesta alimentaria excesiva puede explicarse por un intento de impedir que se produzca una irrupción de pensamientos, recuerdos, sentimientos o emociones dolorosas. También es un camino, fácilmente accesible, que conduce al placer, a fin de compensar una contrariedad, una frustración, la tristeza o la inquietud. Asimismo, desde un punto de vista emocional, comer de manera desenfrenada puede verse como un paso hacia la agresividad presente en el individuo y que éste dirige contra sí mismo. Ciertas expresiones como «Me lo habría jalado», «Me lo comeré entero», «Me he tragado mi odio», «Tragarse un sapo» o «Tragar quina», «Liarse a mordiscos» o «Tener un hambre canina» ilustran bien la dimensión agresiva que algunas veces subyace en el acto de comer.

Emoción contra voluntad

Desde un plano emocional, puede pasar que, para una persona, adelgazar sirva para acentuar su obligación de tener éxito. En efecto, sentirse demasiado gordo le permite justificar ante sus propios ojos, y ante los de quienes le rodean, sus posibles fracasos afectivos, profesionales o de otro tipo. Si este argumento desaparece, entonces el individuo deja de tener excusas para enfrentarse a una realidad desagradable. Ésta es la razón de que pueda existir una cierta resistencia emocional contra el hecho de adelgazar, aunque se desee con fuerza y aunque se haga todo lo posible para lograrlo. Las emociones y la voluntad pueden entrar en oposición, y no siempre, ni mucho menos, gana la voluntad.

Un estudio reciente, publicado en la revista *Obesity*, muestra que las personas que tienden a comer por razones emotivas tienen más dificultades para perder peso o para no volver a engordar los kilos que han perdido.

Los participantes en el estudio, personas que habían conseguido perder por lo menos quince kilos y que se habían mantenido estables durante un año, respondieron a un cuestionario. Este cuestionario recogía las ingestas alimentarias que respondían a criterios emocionales (por ejemplo, comer para consolarse, para matar el aburrimiento, para destacar, comer en caso de malestar, etcétera), a criterios de razón (comer por hambre) o a criterios sociales (comer entre amigos, por razones de convivencia). Los resultados indican que cuanto más se corresponden las respuestas de un candidato con factores emocionales de ingesta alimentaria, menos peso pierde. Además, los que han conseguido perder kilos (por término medio, el 10% de su peso inicial) tienden más a recuperarlo en los cinco años siguientes. El estudio también muestra que los criterios sociales afectan menos que los criterios emotivos y de razón. Ello se debe, sin duda, a que son más ocasionales (no acudimos todos los días a actos sociales) y porque podemos compensar los kilos que engordamos cuando salimos regulando las comidas posteriores.

Dos casos de emociones discapacitantes

Ya hemos visto que la construcción del esquema emocional del cuerpo está correlacionada con la inversión emocional de cada zona corporal en el transcurso del desarrollo, en función de las experiencias vitales de cada uno. Así, las vivencias psíquicas particulares pueden llegar a tener cabida en la construcción física, o bien inscribirse en su dinámica funcional. Para ilustrar esta última noción, expondremos el caso de un paciente que acudió a nuestra consulta.

Desde los tres años y medio, Jonathan era torpe con su brazo derecho. Sin embargo, no era zurdo, sino que simplemente era, por defecto, más hábil con el lado izquierdo. Su padre, profesor de gimnasia, había constatado esta anomalía, por lo que consultó a un neurólogo, el cual no encontró ninguna explicación médica y le prescribióa Jonathan sesiones de psicomotricidad para fortalecer el brazo derecho. Dichas sesiones se desarrollaron durante tres años, aunque sin efectos notables.

Recibí a Jonathan por primera vez cuando tenía dieciséis años, pero por otro motivo. Su torpeza había desaparecido desde hacía dos años, y el chico ya se había olvidado de ella. Sus padres fueron los que me hablaron del tema cuando les interrogué sobre los antecedentes del adolescente. Al interesarme por los detalles, supe que la torpeza había aparecido poco después del nacimiento de un hermano pequeño. Entonces descubrí un episodio muy significativo: Jonathan, celoso de su hermano menor como les sucede a tantos hijos mayores, en un arranque de cólera había golpeado con un tenedor la cara del bebé, un hecho que a sus padres les provocó un gran susto. Fue severamente reprendido. La torpeza de Jonathan salió a la luz a partir de este accidente. Probablemente, en el esquema emocional de su cuerpo, Jonathan consideraba a su brazo derecho como un elemento amenazador, e inconscientemente le había impuesto limitaciones en el plano funcional. Más tarde, los propios reajustes de la adolescencia le ayudaron a rehabilitar dicho miembro, y el hecho de que Jonathan ingresara en un internado cuando tenía catorce años también facilitó las cosas. El hermano pequeño estaba fuera de su alcance, y, además, ya no era un bebé frágil. Por añadidura, Jonathan se desvinculaba de los lazos de dependencia y autoridad que le ataban a sus padres. Se veía a sí mismo como si fuera otra persona, y, como era otro, había dejado de ser alguien que representaba una amenaza.

Diferentes tipos de vivencias psíquicas pueden reflejarse en el cuerpo. Se trata de una conversión de la psique en lo somático. Puede ser, por ejemplo, un acontecimiento traumático o un deseo intenso que debe ser reprimido debido a un veto impuesto por el entorno o por el propio sujeto, que considera culpable a dicho deseo. El caso de Juliette ejemplifica una conversión somática reflejada en el peso.

Juliette tenía siete años cuando acudió a visitarme por causa de su obesidad infantil. Era la única hija de una pareja que se fue desintegrando poco a poco, hasta su separación, que tuvo lugar cuando la pequeña tenía cinco años. Su madre siempre se había ocupado de la niña dedicándole una atención constante. En cambio, su padre, aunque se sentía unido a ella, apenas estaba presente físicamente porque se pasaba la vida viajando con frecuencia al extranjero por negocios. Lo que no era un impedimento para que Juliette tuviera muchas semejanzas físicas con su padre, que por otra parte se llamaba Julien. El sobrepeso de Juliette apareció cuando sus padres se divorciaron y a partir de ahí no hizo más que intensificarse. Los regímenes que le prescribió el pediatra sólo consiguieron una moderada pérdida de peso porque Juliette siempre tenía hambre. Lo que la psicoterapia de la niña había puesto en evidencia era que, si bien el divorcio de sus padres había sido el desencadenante de su sobrepeso, dicho sobrepeso no se produjo por causa de un efecto traumático, sino debido a la culpabilidad que el divorcio le generó. En efecto, la construcción edípica de Juliette se había desestabilizado. La niña se había identificado ampliamente con su padre no sólo físicamente, copiando sus gestos —lo que resultaba fácil debido a que ambos tenían rasgos físicos comunes—, sino también en términos de personalidad. Y optó por dirigir sus impulsos amorosos hacia su madre. Esta «elección» de la niña se había visto reforzada por la relativa ausencia del padre y por el amor materno, el cual impulsaba a la madre de Juliette a dormir con su hija, primero cuando su marido estaba en viaje de negocios, y luego, después del divorcio, por causa de las quejas de Juliette, que decía que le daba miedo dormir sola. A sus siete años, Juliette aún no había renunciado a ser la «pequeña mujer» o el «pequeño marido» de su madre, pero este deseo le provocaba un sentimiento de culpabilidad. En efecto, se sentía responsable del divorcio de sus padres, como si su madre hubiera dejado a su padre por ella. Desde entonces no había dejado de intentar reprimir su deseo, lo que acabó traduciéndose en una conversión somática relacionada con la obesidad. ¿Por qué la obesidad y no otro síntoma cualquiera? La elección de los modos de conversión responde a criterios simbólicos y específicos de la historia de cada uno. En el caso de Juliette, la hipótesis que formulé era que de manera inconsciente ella había proyectado sus edípicos impulsos amorosos en su madre en un plano únicamente oral, a fin de no dar vía libre a un hipotético deseo genital. Es decir, que se había fijado en el modo dominante de la relación que mantenía con su madre cuando era un bebé y le daba el pecho y, más tarde, el biberón. Para no querer a su madre como una mujer[1] quiere a otra, había optado por amarla como un bebé quiere a su mamá. El situar la energía amorosa en la esfera oral desbrida esta pulsión que, para satisfacerse, lleva a comer sin parar. La atención psicoterapéutica de Juliette y de sus padres permitió, junto a un control dietético, que al cabo de un año la niña volviera a estar en un peso aceptable.

Para prevenir la obesidad del adulto, es importante estar atentos desde un buen principio a los aumentos emocionales de peso, ya que, una vez consolidada, y muy alejada en el tiempo del origen de los trastornos, la obesidad se vuelve más resistente al análisis terapéutico.

---

1. Porque en la fase edípica las niñas o los niños pequeños se enamoran como si fueran mayores.

Un diario de a bordo

Para actuar sobre las ingestas alimentarias relacionadas con las emociones, primero hay que reparar en ellas. Cuando decimos *ingestas alimentarias emocionales*, no nos estamos refiriendo a los consumos de alimentos o bebidas que responden a una necesidad energética del organismo generada por el hambre o la sed, sino a una variación emocional, de la naturaleza que sea, que incita a comer o beber.

Para tener localizadas dichas ingestas, va bien tener un diario de a bordo en el que iremos anotando sistemáticamente todas las tomas de alimento a lo largo del día, pero sin que el hacerlo suponga privarse de comer. Hay que apuntar la hora de la ingesta y la cantidad ingerida. También anotaremos el grado de hambre que se tiene antes de comer, según su propio gradiente valorado de 0 a 10. En este diario también habrá que consignar, y éste es un punto fundamental, el tipo de emoción que se siente antes de comer: cólera, tristeza, inquietud, desconcierto, aburrimiento… Esta puntualización resulta difícil, ya que a menudo las ingestas alimentarias emocionales afectan a personas a las que les cuesta diferenciar sus emociones y que acostumbran a confundirlas con una sensación de carencia provocada por el hambre. No siempre resulta fácil reflexionar sobre la emoción que se percibe paralelamente a cuando ésta tiene lugar. En cambio, por la noche, cuando estamos descansando en la cama, mientras nuestro espíritu pasa revista a la jornada transcurrida, sin duda es un buen momento para hacer balance de las emociones que hemos sentido.

En un segundo tiempo, anotaremos las razones de la aparición de cada emoción: la primera que nos venga a la mente y otras posiblemente más profundas, más escondidas. Por ejemplo, la ira que siente contra la hija de su marido, porque deja tiradas sus cosas en la sala de estar, aparece como la primera razón de su emoción; pero la razón profunda, la causante de que su hijastra le parezca tan irritante, posiblemente se deba a que su marido se muestra muy permisivo con ella, mientras que en otros capítulos es demasiado exigente con usted. La cólera que usted experimenta contra ella esconde un resentimiento respecto a su marido.

Una vez detectadas las ingestas alimentarias emocionales, se tratará de responder a ello de modo apropiado. Para cada emoción habrá que encontrar una respuesta específica, especialmente cuando ya hemos localizado su causa profunda. Pero aunque todavía no lo hayamos hecho, conviene saber que existen más opciones que la de comer.

¿Qué hay que hacer?

Si usted tiene realmente hambre, debe comer. Porque la restricción alimentaria crea frustraciones y provoca a medio plazo una mala percepción del sentimiento del hambre. Pero si quiere comer cuando lo cierto es que no tiene hambre, debe hacer otra cosa. Y para conseguirlo, no sólo tiene que ser capaz de distinguir sus diferentes emociones, sino que también ha de diferenciar las señales del hambre de otros sentimientos.

El hambre es una señal provocada por un descenso de la tasa de azúcar en la sangre; es un hueco en el estómago asociado con un sentimiento de irritabilidad y cansancio, así como con la salivación y el mareo. Pero también podemos tener ganas de comer por placer, por gula.

Y hablando de placer, conviene que sepa que los primeros bocados son los que más placer nos dan. Más allá, el placer es cada vez menos intenso. Por tanto, dese el capricho de manera consciente, sin equivocarse; si es placer, no es hambre, y, en este caso, en vez de comer…, ¡saboree!

Si usted nota que no es el hambre lo que le mueve, pero no puede identificar qué impulso emocional está en juego, busque en la lista —que habrá elaborado previamente— de actividades que podrían hacerle desistir de ingerir alimento de modo reflejo, dando prioridad a las conductas fáciles de adoptar. Pueden consistir en telefonear a un amigo, pasear, darse un baño, leer un libro o prepararse una bebida caliente sin azúcar. O aún mejor: «muévase», es decir, opte por emprender cualquier tipo de actividad al aire libre para liberar las emociones, limitando así el riesgo de pensar tan sólo en comer. Salir de casa limita este riesgo, aunque hoy en día cada vez es más fácil comer a cualquier hora del día y la noche.

Dibujar, tocar un instrumento, esculpir…, todas estas actividades creativas favorecen la expresión emocional, independientemente del tipo de emoción de que se trate.

Si ha aprendido a diferenciar los diferentes sentimientos que le empujan a comer, actúe con arreglo a ellos para expresarlos, o para, simplemente, quitárselos de encima. Hablaremos sobre esto más detalladamente. Pero la parte más importante del trabajo consiste en la localización de las emociones, especialmente de las emociones negativas que desencadenan las ingestas alimentarias.

Identifique sus emociones negativas

Si no resulta siempre fácil identificar las emociones, es porque a menudo éstas están enmascaradas. En efecto, una misma emoción puede expresarse bajo diversas formas. Puede decirse que una emoción está disimulada cuando no transcurre por las vías habituales de expresión, tanto socialmente como entre los individuos. Por ejemplo, una persona triste que no llora y que lleva una máscara sonriente, puede ocultarse a sí misma que está triste. Esta ignorancia de los verdaderos sentimientos es más frecuente de lo que podría creerse. Además, no es nada raro sentir varias emociones al mismo tiempo, y entonces es difícil separar unas de otras. Por otro lado, una emoción puede tener distintos grados y modalidades: podemos mostrarnos coléricos, irritables, vehementes, irascibles, rabiosos, excitables, descontentos, gruñones... Sucede que las emociones negativas no se distinguen porque son reflejas y están inmersas en un conjunto de reacciones respecto a las cuales muchas veces no se toma la suficiente distancia. Por último, la misma emoción puede ser negativa o positiva, dependiendo de su duración y de las circunstancias.

Las emociones negativas más difíciles de identificar son las que existen desde hace tiempo, de manera crónica. Cuando se agudizan, es evidente que las identificamos más fácilmente. Así, un estado de tristeza inhabitual surgido tras sufrir un duro golpe será fácil de discernir, mientras que un antiguo estado de tristeza, que acompaña a un estado depresivo, ya no se nota.

¿Qué hay que hacer?

Las emociones negativas más corrientes son la cólera, la envidia, los celos, la tristeza, la ansiedad, la vergüenza, el aburrimiento, la pasión, la confusión, la culpabilidad, el desencanto, la frustración, el dolor moral y la falta de autoconfianza. Una vez más, cada una de ellas se declina en emociones específicas que tendrá que definir. No se trata de una simple cuestión de vocabulario porque cada uno de estos términos determina con precisión un estado. Y aunque no sea indispensable ser perfeccionista en la descripción de lo que se siente, cuanto más nos acerquemos a ello, más cómodo nos resultará dejarlo atrás. Los sinónimos no sólo sirven para evitar repetir dos veces la misma palabra en un mensaje, sino también para descubrir lo que se quiere decir y aquello que se siente con precisión.

Empiece por reparar en la naturaleza de cada una de sus emociones y, en un segundo tiempo, fíjese en su tono exacto y en su matiz adecuado. Por ejemplo, respecto al desencanto podemos experimentar diversos sentimientos; es decir, podemos sentirnos decepcionados, desencantados, amargados, consternados, asqueados, desolados, desengañados, desilusionados, despechados, cansados... Somos lo que sentimos, y conocer explícitamente lo que se siente forma parte de esta necesidad, que es fundamental para que pueda desembarazarse de su sobrepeso emocional y conocer íntegramente su identidad.

Entre los métodos existentes para localizar las emociones, uno de ellos consiste en tratar de sentirlas experimentalmente, imaginándose en situaciones susceptibles de producirlas. Consideremos el caso de la decepción: imagine, por ejemplo, que un amigo del que espera que le haga un favor defrauda sus expectativas. Crear imaginariamente emociones singulares ayuda a identificarlas cuando sobrevienen.

Más adelante aprenderemos a distinguir cuándo una misma emoción es positiva, negativa o neutra según la situación, el contexto o las circunstancias. Sentirse momentáneamente avergonzado porque se ha cometido un error sin consecuencias graves, y porque nuestro superior jerárquico nos lo ha hecho notar, es una emoción neutra en el sentido de que es adaptada. Esta vergüenza sería negativa si perdurara al día siguiente, o estuviera vinculada a un sentimiento de humillación o de deshonor. Y al revés, puede volverse positiva si nos mueve a reparar nuestro error o estimula nuestra concentración, lo que nos ayudaría a ser más eficientes y nos garantizaría el reconocimiento por parte de nuestro jefe.

Estudiaremos los pensamientos y las actitudes que cada una de las emociones negativas descubiertas suscitan, así como las emociones secundarias; por ejemplo, la culpabilidad subsiguiente a un acceso de cólera.

Cómo reaccionar frente a las emociones

Una vez detectada una emoción negativa, es importante actuar sobre ella por medio del pensamiento y el comportamiento a fin de limitar los daños de su impacto. A continuación incluimos algunos ejemplos acompañados de breves consejos, aunque volveremos a hablar de ello de una manera más detallada.

Si usted experimenta ansiedad, la actitud que tiene que adoptar es la siguiente: evite las situaciones susceptibles de ponerla en marcha, modifique los pensamientos que siguen a esta reacción emocional, así como los comportamientos o las emociones secundarias. Diga en voz alta lo que le inquieta. Y recuerde los momentos de ansiedad por los que pasó cuando era más joven: aunque entonces se sentía invadido por ellos, hoy forman parte del pasado. Por último, busque soluciones poniéndolas por escrito.

Si siente cólera, no la reprima. Grite a pleno pulmón. Telefonee a una amiga para quejarse o, aún mejor, quéjese directamente a la persona implicada. Utilice un videojuego de su hijo para liberarse de ella. Escriba una carta o un correo electrónico exponiendo su cólera, que al final enviará, o no, y donde aparezca el conjunto de sus resentimientos y sus razones, así como aquello que podría conseguir que usted perdonara al causante de esta emoción.

Si está triste, deje fluir sus lágrimas. El proceso bioquímico que las acompaña tendrá un efecto tranquilizador sobre usted. Escuche música o vuelva a leer un libro cuya lectura le hizo bien. Estudie las razones aparentes y más profundas de su pena.

A veces el sentimiento de envidia es el que crea sobrepeso

emocional, como en el caso de Amélie, que tenía envidia del físico de una colega. Verla cada día en el contexto profesional ayudaba a alimentar dicho sentimiento, hasta que se volvió crónico. El pensamiento de Amélie se cargó de negatividad, que se plasmó, a través de un mecanismo de somatización, en el almacenamiento de grasa. Entre las reacciones negativas de Amélie, pueden citarse: el hecho de estar resentida con su colega, criticarla (encontrándole defectos para no seguir envidiándola), regocijarse ante sus eventuales dificultades, procurar perjudicarla y estar obsesionada con ella. Además, Amélie no valoró lo suficiente su propia mejoría física, que había conseguido en un intento de rebajar la rivalidad respecto a la diferencia existente con el maravilloso aspecto físico de su compañera. Para Amélie, y para otras personas en su mismo estado emocional, sería sano considerar que la felicidad es posible, aunque no se tenga un físico tan estupendo como tal o cual colega; que hay que juzgar a alguien por su identidad global y no sólo por su aspecto; que envidiar a esa compañera sería como envidiar a otros miles de mujeres con cuerpos de ensueño; que, desde un punto de vista totalmente opuesto, para usted su compañera podría ser el modelo que hay que seguir y podría buscar los medios para estar tan bien como ella, a riesgo de convertirse en su aliada.

Resumiendo: es importante identificar la *naturaleza* de las emociones que se sienten, sus *matices*, descubrir las *circunstancias* que las originan y determinar nuestras *reacciones mentales*, *conductuales* y *emocionales*. Y por último, actuar sobre todos estos puntos.

Pero antes de detallar sus emociones actuales y los medios de hacerles frente, veamos el origen de las pulsiones del comilón emocional que, dentro de usted, se está muriendo de hambre.

Las pulsiones que nos hacen ganar peso

Somos seres llenos de deseos: deseo de tener, de ser, de confrontación, de cambio, de conquista, de conservación, de saber, de posesión... Desde nuestro nacimiento, y posiblemente hasta antes de nacer, nuestra psique está llena de pulsiones innatas, en estado bruto, que luego cultivaremos por medio de nuestra educación. Estas pulsiones constituyen la energía vital, que a su vez es la fuente del crecimiento físico, intelectual y afectivo del niño.

Según las teorías psicoanalíticas, el recién nacido, que todavía no es apto para expresar sus deseos de una manera elaborada, está sometido a un conjunto de pulsiones. Estas pulsiones son procesos activos que nacen en diferentes zonas corporales susceptibles de excitación. La finalidad de una pulsión es la de satisfacerse, aliviando la tensión que produce la excitación. Existen diferentes medios de apaciguar cada pulsión, y cada individuo da más prioridad a unas vías que a otras, porque, si bien las pulsiones son comunes a todos, cada uno las calma a su manera.

Por ejemplo, el origen de la pulsión oral se halla en una amplia parte del cuerpo que incluye la boca y toda la zona bucal: el tubo digestivo superior, la zona respiratoria, los órganos del habla y el conjunto de los órganos sensoriales. En este caso, la sensibilidad de estos órganos (los labios, el paladar y la lengua están muy inervados) y de los nervios que controlan la sensorialidad (nervio óptico, nervio auditivo y nervio gustativo) desempeña un papel protagonista. La satisfacción se consigue por medio de la alimentación y, de manera más secundaria, por otras aportaciones de toda clase. Esta satisfacción es un motor indispensable para la existencia humana, ya que mueve a cada individuo a responder a las necesidades elementales que constituyen la ingestión de alimento y los lazos que le vinculan a su entorno (la pulsión oral también mueve a conseguir información y comunicación), ambas cosas indispensables para los seres humanos.

La pulsión oral: una pulsión vital

La pulsión oral predomina durante los dos primeros años de vida porque el bebé, que no es autónomo ni respecto a sus desplazamientos ni respecto a su prensión, se centra, en su modo de contactar con el mundo exterior, en la captación sensorial y en la alimentación. Cronológicamente, esta etapa corresponde al estadio oral.

El estadio oral es el primero de los estadios de desarrollo afectivo, tal como los definió Sigmund Freud a partir de sus observaciones clínicas, y cuya descripción los innumerables estudios psicoanalíticos llevados a cabo más tarde se encargarían de confirmar. Privado del lenguaje, el recién nacido establecerá sus primeras relaciones con su entorno a partir de su cuerpo. Los adultos encargados de su educación, basándose en las competencias innatas de dicho cuerpo y mediatizándolas, guiarán esta prospección y harán posible su evolución y sus diversas adquisiciones. Sus pulsiones orales podrán verse satisfechas a través del contacto con el pecho y la leche materna, con el biberón, o bien succionando una tetina, chupándose la lengua o incluso los dedos. En resumen, todo lo que el bebé puede meterse en la boca y todo lo que puede pasar por su faringe y su esófago, tanto bebida como comida, es susceptible de colmar sus pulsiones. Más tarde, esta pulsión, además de seguir estando vinculada a la comida y la bebida, por supuesto, también lo estará a todas las cosas nuevas que uno se mete voluntariamente en la boca (la lengua de la pareja, un chicle, un puro, el cuello de una botella, etcétera).

La pulsión oral nos mueve a alimentarnos; es, pues, una pulsión vital. Por medio de la satisfacción que proporciona, invita a responder a las necesidades fundamentales de comer y beber que tienen los seres humanos. En el hombre, las pulsiones y su satisfacción han reemplazado al instinto animal. Y ello también es así respecto a la sexualidad. Las pulsiones son lo que nos permite ser más inventivos que los animales en todos estos ámbitos. Y lo que nos da más libertad, tanto para bien como para mal, ya que sólo los seres humanos practican voluntariamente la castidad o realizan huelgas de hambre.

De boca en boca y comer más con los ojos que con la boca

Pero la pulsión oral no se limita a la boca. Podemos considerar que está compuesta por subramas en función de las zonas nerviosas implicadas y de las modalidades de satisfacción. También se satisface a través de todo lo que pone en marcha la sensorialidad; por ejemplo, el placer de escuchar música. De hecho, existen conexiones entre los subgrupos de pulsiones orales. Así, la degustación de un alimento se halla muy relacionada con su olor, lo que es fácilmente verificable cuando uno está resfriado y los alimentos parecen tener menos gusto. Esta relación gusto-olfato constituye, sin duda, una combinación propia de la especie. Ciertos individuos consiguen establecer otras correspondencias, por desgracia no siempre de manera favorable. Así, las personas acostumbradas a comer con música o voces ambientales necesitan escuchar la radio cuando comen solas. Por no hablar de aquellos que —cada vez más numerosos y acostumbrados desde muy jóvenes a ello— sólo pueden comer delante de la pantalla de la tele, atiborrándose tanto de imágenes como de alimentos al mismo tiempo.

Esta noción es fundamental para nuestro tema, ya que explica que el individuo puede satisfacerse oralmente por otras vías distintas a la de comer. Existen, pues, recursos, que engloban todo aquello que satisface nuestros sentidos: desde las caricias (el tacto en general), la música y las palabras, los olores, las imágenes (las del mundo real, las figuraciones de la realidad tanto en dibujos como en imágenes, o incluso las elaboradas por nuestro imaginario), hasta las del placer de la respiración (utilizado en las técnicas de relajación). Dependiendo de lo que a cada uno le guste o le repugne (tanto en lo alimentario como en lo sensorial), y del modo como hayan sido «educadas» sus diferentes pulsiones, es decir, según las diferentes maneras como su entorno las haya satisfecho hasta el momento presente, elaborará su programa personal para satisfacerlas. Un bebé sólo podrá recurrir a los alimentos para conectar con su entorno. Mientras que otro dispondrá de las palabras, las caricias, las músicas, los perfumes, las diferentes atmósferas, etcétera.

En el curso de su desarrollo el bebé asociará mentalmente las emociones y las representaciones mentales con sus pulsiones. Por ejemplo, si su madre lo amamanta, desde muy pequeño visualizará mentalmente el seno materno. Y si no es así, podrá satisfacerse poniendo en marcha este pensamiento. Visualizará mentalmente imágenes de succión, de absorción y de estimulaciones sensoriales, que, al no haber una satisfacción real, le proporcionarán satisfacción virtual. El recién nacido se crea una «película» muy privada, y la competencia de ser capaz de representar sus deseos es fundamental, porque determinará la futura capacidad del niño para soportar las frustraciones de los placeres vinculados a la oralidad, en especial a las ganas de comer. Dicha competencia determinará su capacidad para discrepar.

Todo engorda

Todas las informaciones que nos llegan, ya sea a través de la vista, del olfato, del oído, del tacto, etcétera, planean sobre esa dinámica de satisfacción denominada «oral». El niño se traga tanto lo concreto como lo abstracto, ya que aprende a pensar a partir de lo concreto de su cuerpo. Así pues, ingerirá tanto alimentos como conceptos, del mismo modo como más tarde devorará los libros. El bebé incorpora las voces, los sonidos, los olores, las imágenes y las emociones, los sentimientos, los deseos conscientes o inconscientes y los mecanismos de pensamiento de las personas que se comunican con él. Pero en este proceso de captación, el recién nacido, cuando satisface su pulsión oral, no está inactivo, ya que en parte puede censurarla. Éste es el caso de los bebés que adoptan un comportamiento anoréxico: disminuyen la cantidad de la ingesta de los alimentos que les ofrece el adulto porque junto con la alimentación no quieren ingerir, por ejemplo, toda la carga de ansiedad que dicha alimentación lleva consigo.

Freud hablaba de pulsiones «orales agresivas». En mi opinión, su corolario somático es la aparición de los dientes. Este tipo particular de pulsiones orales se le revela al niño cuando percibe que él es quien hace que el alimento ingerido desaparezca en su interior y que además lo destruye. La agresividad oral no sólo se manifiesta en el placer del hecho de morder, sino también en la agresividad verbal cuando la palabra se vuelve «mordaz». Vemos que, desde una época muy temprana del desarrollo del niño, el hecho de alimentarse puede ser un acto cargado de agresividad hacia sí mismo o hacia los otros, que está simbolizado por el alimento ingerido.

Evidentemente, el placer de la oralidad no desaparece una vez que ha pasado el estadio oral, sino que sigue estando presente a lo largo de la existencia en diversos grados, dependiendo de los individuos.

De la oralidad y otros placeres

Las pulsiones orales están especialmente presentes en el comportamiento amoroso. El bebé se inicia en el amor de manera oral, y, por tanto, sensorialmente. Entre los adultos, esta oralidad sigue manteniéndose en el conjunto de sus placeres amorosos. Y por supuesto el beso es el ejemplo más evidente de ello. También hay placer en los actos de succionar y mordisquear. A estas delicias físicas cabe añadir el placer que causan las palabras amorosas, las palabras dulces o saladas que uno escucha o que uno mismo dice. «Bebemos las palabras» de la persona amada, la «devoramos con los ojos», su presencia nos «alimenta», le «daríamos un buen bocado» antes de «comer» el fruto prohibido. Desde una perspectiva sensorial, están el placer de las caricias, de los olores del cuerpo y de la voz amada.

Como puede verse, la oralidad teje unos lazos profundos e indefectibles entre la ingesta de alimentos, el modo principal de la satisfacción oral, y los placeres del cuerpo, la sensualidad y las emociones. Lo que explica una vez más que la satisfacción de las pulsiones orales, que se halla en el origen del placer mental del hecho de comer, también puede llevarse a cabo por medio de otros modos de satisfacerlas, es decir, recurriendo a los placeres sensoriales. Cuantos más modos distintos de satisfacer sus pulsiones orales tenga el niño gracias a la educación recibida, la cual le habrá guiado por el placer de las caricias, de las palabras, del canto, de la música y de las diversiones visuales, más se convertirá en un adulto capaz de encontrar otras satisfacciones y no tan sólo la de comer.

La culpabilidad y el placer oral

A partir de los tres años, el niño adquiere la noción de culpabilidad. Ésta es una etapa fundamental, ya que la culpabilidad previene los comportamientos contrarios a la educación. Aunque no siempre se manifieste a propósito, y aunque a veces nos sintamos exageradamente culpables por actos o pensamientos que no perjudican a los demás.

La culpabilidad, sin duda propia de la especie humana, se halla esencialmente vinculada al daño que uno cree hacer, pero también al bien que nos hacemos nosotros mismos. En efecto, no es raro sentirse culpable del placer que se siente, y algunas veces hasta del que se siente cuando se hace daño. Como todas las demás pulsiones (por ejemplo, la sexual), en una etapa del desarrollo la pulsión oral puede vivirse con culpabilidad o con angustia si está demasiado cargada de deseo. La educación se vive como un conjunto de límites confrontados con la omnipotencia del niño y sus principios de placer, que tendrán que componerse de acuerdo con los principios de la realidad.

La culpabilidad que causa el placer oral explica, por ejemplo, que Émilie, una niña de cuatro años, a pesar de mostrarse muy desenvuelta cuando está en familia, se encierre en un silencio tímido cuando se cruza con personas nuevas que pueden interesarle (en especial, con hombres que se parecen a su papá). Y también explica que Arthur coma caramelos a escondidas y que Antoine, de seis años, se chupe el pulgar cuando está solo. La culpabilidad, que tanta importancia tiene para los adultos que están a régimen, no sólo está provocada por el asentimiento de no respetar las pautas del especialista en dietética, sino también, aunque de un modo menos consciente, por la ingestión de placer oral inducido por la ingesta alimentaria. Y la culpabilidad será más potente cuanto más fuerte sea el deseo y más intensa sea la satisfacción. Lo dulce es uno de los inductores más grandes e innatos del placer oral, y, de todos los sabores alimentarios, la tentación que suscita es tan fuerte que cuando uno cede se siente el ser más culpable del mundo.

Para resumir, recordaremos que la pulsión oral empuja a alimentarse; que el placer de alimentarse está intrínsecamente vinculado a otros tipos de satisfacciones sensoriales (el placer de cantar, de hablar, de escuchar, de oler); que estos diferentes tipos de satisfacción, si han sido cultivados, pueden desempeñar un papel de intermediarios en el placer oral de la ingestión alimentaria; que la satisfacción oral está estrechamente relacionada con las emociones, en especial con la sexualidad y el amor (tanto hacia uno mismo como a los demás); que, si bien el hecho de comer es un placer, también puede estar motivado por un deseo de mostrarse agresivo contra uno mismo o contra los demás, y que, como todo placer pulsional, desde una época muy temprana, puede estar cargado de culpabilidad.

Cómo controla sus pulsiones la psique

La culpabilidad se halla integrada en un conjunto más amplio de control de todas las pulsiones. Es el resultado de la educación y de la confrontación con los principios de la realidad, los cuales imponen sus límites y gobiernan tanto la pulsión oral como las otras pulsiones (las pulsiones anal y genital). Estas pulsiones, en parte, son rechazadas, negadas, transformadas en su contrario (formaciones reaccionales), sublimadas, etcétera. En efecto, según las teorías psicoanalíticas, existen diferentes mecanismos para el control de estas pulsiones. Todo sucede como si estuvieran entre rejas como si fueran un personaje peligroso, mantenidas a raya como se haría con alguien impertinente, desconectadas de la toma de corriente, modeladas como si fueran de arcilla, cultivadas como una tierra yerma, canalizadas como las aguas bravas o amaestradas como se hace con los animales salvajes. En bruto, al principio, acabarán formando parte de una organización general, que determinará la personalidad del niño.

El rechazo consiste en almacenar algo en la parte inconsciente de la psique. Si esta última fuera una casa, el rechazo equivaldría a meter una cosa en el sótano. En el caso de las pulsiones orales, lo que suele rechazarse está relacionado con la apetencia de alimentos u objetos no comestibles o prohibidos. Por ejemplo, el tabú más común de todos es el de comer heces. Pero dependiendo de la educación que se haya recibido, también puede existir rechazo contra algunos alimentos comestibles porque para ciertos individuos están simbólicamente cargados de emociones negativas.

Así, a Nicolas, desde que tenía cuatro años, le daba asco la leche, un asco que se acentuó extendiéndose a todos los productos lácteos. Y ello sin mostrar ninguna intolerancia o alergia relacionada con este producto, como, por ejemplo, la intolerancia a la lactosa o a las proteínas de la leche. Empezó a mostrar dicho rechazo a partir del nacimiento de su hermana pequeña. En esa época Nicolas entraba en el período edípico, y sin duda desplazó a la apetencia por la leche su deseo edípico respecto a su madre. Resumiendo, en su cerebro emocional fusionó y confundió sus pulsiones sexuales y su pulsión oral respecto a la leche. Para el pequeño, la integración precoz de lo prohibido que conlleva el incesto se tradujo de manera especial en una represión de su apetencia por la leche, ya que en su inconsciente el deseo por la leche equivalía al deseo amoroso que sentía por su madre, un deseo que en lo sucesivo pasaba a estar prohibido.

Las pulsiones reprimidas pueden salir a la luz en forma de lapsus (por ejemplo: «Me voy corriendo porque tengo que "comer" el autobús»), o bien en los sueños. No es raro que la gente que está a régimen sueñe que se atiborra. Es posible que eso explique que las personas sonámbulas coman por la noche. Pero la represión también puede incidir en la intensidad de la pulsión, y entonces esa represión parcial pretende mantener la pulsión, pero de una forma moderada.

Segundo gran mecanismo de control de la pulsión oral y de las pulsiones en general, la sublimación consiste en derivar la energía de la pulsión hacia una actividad moral, intelectual o artística. En el caso de la pulsión oral, un modo corriente de sublimación consiste en interesarse por las actividades culinarias. Así, la pulsión se ve desviada de su fin sin que ello suponga que se la reprima (lo que demandaría más energía psíquica). Por lo demás, eso es lo que hacen las adolescentes anoréxicas: aunque han optado por reprimir sus pulsiones orales respecto a los alimentos, a menudo tienen un gran placer en cocinar para su entorno y de este modo vivir su satisfacción oral como si fuera por poderes. Todas las actividades que utilizan los cinco sentidos o la misma elocución son otras formas de sublimación; los niños a los que les encanta hablar sin parar subliman sus pulsiones orales sin necesidad de comer. Por otra parte, no se debe comer con la boca llena… de palabras.

Si la pulsión fuera un río o un torrente, su represión sería como un dique que la contendría y su sublimación como si la hiciéramos fluir por múltiples canales.

También pueden intervenir otros mecanismos. Las formaciones reaccionales forman parte de ello. Dichas formaciones son la transformación, de modo permanente, de las tendencias y los deseos, inaceptables para la conciencia del niño, en tendencias opuestas y aceptables tanto familiar como socialmente. Así, las pulsiones exhibicionistas se transforman en un pudor llevado al extremo, o los celos en un acusado sentido de la justicia. En cuanto a la pulsión oral, podemos pasar de la voracidad a la contención alimentaria o a diversas fobias alimentarias (rechazo de ciertas carnes o ciertas verduras) cuando éstas son bien aceptadas por nuestro entorno (por ejemplo, si uno de los progenitores tiene la misma fobia alimentaria o vegetariana). Así, cuando un niño tiene fobias alimentarias o cuando limita su aporte de alimentos, puede tratarse de un intento de controlar sus pulsiones orales por las que se siente invadido. Entonces, hay que ayudarlo a implantar otros mecanismos de control menos molestos.

Otro mecanismo consiste en refugiarse en las fantasías. Al hacerlo el niño puede controlar su comportamiento en la realidad y dar libre curso a la pulsión oral en su imaginario. En este caso, la persona se alimenta de sus sueños.

En la intelectualización, la energía pulsional se pone al servicio de la reflexión o la meditación. Ello puede ir de la mano de una avidez por saber, conocer y comprenderlo todo. Entonces la pulsión oral se satisface por medio del alimento espiritual.

Entre los siete y los once años, la pulsión oral está bajo control

Hacia los siete años, el niño entra en un período de latencia. Adquiere sentido moral y se siente satisfecho respetando las reglas. Se vuelve púdico y sabe decir no a sus diferentes pulsiones primarias. En el plano del comportamiento alimentario, adquiere el sentido de la medida y sabe comportarse en la mesa. Aunque sepa que es goloso, sabe aguantarse las ganas. La sublimación de la pulsión oral le empuja hacia actividades socialmente aceptables en el aprendizaje escolar y artístico. Este dominio de sí mismo va creciendo hasta la pubertad, y durante la escuela primaria hay pocos cambios en cuanto al comportamiento alimentario. Generalmente, los niños que tienen una sobreinversión de la pulsión oral alrededor de los siete años conservan una alta apetencia oral hasta la pubertad. Y a la inversa, los niños que tienen una pulsión oral controlada más allá de los siete años conservan este dominio durante el período de latencia. Excepto que se produzcan acontecimientos con un fuerte impacto afectivo (duelo, divorcio, enfermedad del niño, etcétera) que trastornarían la organización reinante. Pero exceptuando estas posibles rupturas, el período de latencia se caracteriza por una era de estabilidad. Todo sucede como si la psique utilizara las diferentes pulsiones como si fueran una materia bruta y de energía, para que el niño se desarrolle física, intelectual y afectivamente. La llegada de la pubertad remodela toda esta organización pulsional.

La vuelta de las pulsiones en la adolescencia

Las diferentes pulsiones, bajo control durante el período de latencia, se reactivan al inicio de la pubertad. Toda la organización implantada a lo largo de la infancia vuela en pedazos, hasta que se establezca un nuevo orden cuando termine la adolescencia. Mientras tanto, las pulsiones sacarán provecho de la desorganización física y psíquica para desenfrenarse. El adolescente revisita psicológicamente sus diferentes estadios afectivos, en especial el estadio oral.

En la pubertad, la pulsión oral desenfrenada se manifiesta frecuentemente a través de conductas de hiperfagia, de picoteo o de glotonería, las cuales no son demasiado inhabituales en este período de la existencia. Normalmente, estas conductas se mantienen durante un tiempo o una parte de la adolescencia, antes de que la regularidad sea el estado normal. Pero es posible que persistan en parte o totalmente cuando el adolescente ya ha pasado a ser adulto. A menudo los adolescentes tienen la boca ocupada con un bolígrafo que muerden sin parar, con un cigarrillo o con un porro, o con un chicle o una botella de cerveza. Es la edad en la que más apetece probarlo todo. Es como si quisieran comerse a bocados la vida en su conjunto, aunque los adolescentes no siempre cuenten con los medios para hacerlo. A pesar de que algunas veces se muestren reticentes en lo referente a los estudios, tienen sed de saber y descubrir. En muchos campos, comen más con los ojos que con la boca. La elección de los alimentos es característica de la adolescencia. Cuanto más rápidamente se consuman, más fácil resulte tragarlos, más básico sea su sabor, más rápidamente suba la glucemia después de su ingesta, o más fuertes sean las sensaciones que producen (guindilla, mostaza, etcétera), mejor será para el adolescente. De ahí el éxito que en estas edades tienen los restaurantes de comida rápida, así como las golosinas, los productos lácteos azucarados embotellados y las féculas, en prejuicio de otros platos cocinados más elaborados. Es como volver a un «deprisa, deprisa» que viene exigido por una pulsión oral liberada de cualquier tipo de control, y a la que se cede en solitario, sin moderación y en cualquier momento. La represión disminuye, ciertas repugnancias alimentarias desaparecen y asombra ver cómo cambian las preferencias alimenticias. En esta etapa uno se controla menos, y come sin esperar a las horas de comida ni a los otros comensales. Uno no se deleita con el placer de la vista por medio de una preparación esmerada (por otra parte, se come delante de una pantalla sin mirar lo que está en el plato), y ni se le pasa por la cabeza pensar en el placer que sentía cuando era niño al poner la mesa, cuando estaba orgulloso de ayudar a sus padres.

Afortunadamente, estas desenfrenadas conductas alimentarias no siempre inducen sobrecarga ponderal, porque se trata de una edad en la que el crecimiento físico es importante y en la que se queman muchísimas calorías. Sin embargo, puede haber riesgo de sobrepeso, y si este comportamiento persiste en la edad adulta, es casi seguro que se tendrán kilos de más.

Este retorno a la pulsión oral arcaica se acompaña de una

regresión no sólo en el comportamiento y en las preferencias alimentarias (en el adolescente es fácil ver al niño pequeño que fue en su día y al que primero sólo le gustaban las papillas y posteriormente la pasta y las patatas fritas), sino también en sus modales (el adolescente descuida sus modales en la mesa y vuelve a mancharse cuando come). Como es lógico, esta reactivación de la pulsión oral concierne a todas las subramas: la necesidad de oír música es la más característica, así como la de ver imágenes, que en nuestros días se reflejan por un consumo desenfrenado de vídeos. Resumiendo: ¡se trata de reeducar la pulsión oral!

Alimentarse del otro

Sin embargo, esta reavivación de la pulsión oral tiene aspectos positivos porque permite una nueva implicación de la palabra y de los intercambios verbales. El adolescente tiene sed de nuevos encuentros con los jóvenes de su edad y con los adultos. Asimismo, procura incorporar nuevos modos de ser, nuevos sentimientos. Ansía identificarse. Se acerca a otros adolescentes tanto de su mismo sexo como del contrario movido por la reactivación de las pulsiones orales. La masiva activación de las pulsiones genitales en la pubertad favorece el deseo, y el encuentro amoroso y sexual. Está, por ejemplo, el placer de sentir el olor del otro, o de dejar de sentirlo cuando el amor desaparece, así como el placer de leer sus correos electrónicos o de escuchar música pensando en él, o en ella. Y en un plano más físico, el placer que proporciona el hecho de meterse en la boca las partes del cuerpo del ser deseado, empezando por el beso. Por no habar de los juegos eróticos que incluyen deliberadamente el uso de alimentos. Una vez más, vemos hasta qué punto la apetencia de alimentos y la apetencia de amor se hallan relacionadas entre sí en términos de pulsiones. Es la expresión de los vínculos que existen entre lo afectivo, los sentimientos, las emociones y los comportamientos alimentarios.

Pero poco a poco, con mayor o menor rapidez dependiendo de los individuos, en la psique del adolescente se irán implantando nuevos mecanismos de gestión que favorecerán una satisfacción oral menos anárquica, más organizada y diversificada, dando lugar a comportamientos alimentarios equilibrados. Eso se llevará a cabo con más facilidad cuanto más armoniosamente se haya establecido la organización de las pulsiones en la primera infancia, gracias a las propias competencias del niño y a un marco afectivo coherente y educativo.

Cuando la pulsión oral es una fuente de angustia

A veces, el cerebro emocional del adolescente puede sentirse desbordado por la intensidad de su pulsión, lo que le provoca sentimientos de angustia. Es posible que dichos sentimientos ya existieran cuando era pequeño, cuando sus pulsiones todavía no estaban controladas. Son, por supuesto, miedos imaginarios. Entonces, se trataba, por ejemplo, de la angustia de destruir por medio de la boca a aquellos a los que quería (su madre o su nodriza, por ejemplo); es decir, se trataba de la angustia relacionada con el hecho de devorar a otra persona. Esta angustia podía estar asociada con la angustia contraria: la de ser devorado por aquellos que le querían (por medio de un mecanismo de proyección mental que atribuye al otro la intención de hacernos, precisamente, aquello que a nosotros nos da miedo hacerle a él).

También pueden darse otros tipos de angustias vinculadas a la pulsión oral: si, cada vez que alimenta a su bebé, una madre tiene miedo de no darle lo que éste necesita, tanto en cuanto a su calidad como a su cantidad, el pequeño corre el peligro de acabar contaminado por la angustia materna, una angustia que, en su cerebro emocional, él puede equiparar con su propia pulsión oral, la cual, en su opinión, es susceptible de generar malestar en su entorno y, por tanto, en sí mismo. Entonces la pulsión oral se vuelve tan angustiosa como su madre.

En la adolescencia, el despertar o la aparición de los sentimientos de angustia, junto con las pulsiones orales que se han desencadenado, pueden, por ejemplo, provocar un bloqueo de la pulsión oral, que afecta a los alimentos e induce un comportamiento anoréxico. Entonces se produce un control estricto de los alimentos que se consumen tanto en cuanto a su calidad como a su cantidad, asociado con auténticos rituales alimentarios, que no son incompatibles con el placer de cocinar, como ya hemos señalado anteriormente. Llegados a este punto, si desde un buen principio no se opta por aplicar la terapia adecuada, se corre el peligro de que la anorexia se vuelva crónica.

Para otros adolescentes, si las preferencias alimentarias se mantienen, la dificultad que ello provoca incidirá en otras subramas de la pulsión oral, como la del placer del hecho de adquirir, el hambre de aprender o la ingestión de informaciones. Como consecuencia de ello, puede producirse una indiferencia respecto al saber y al aprendizaje, con las subsiguientes dificultades escolares.

La sed de encontrarse y de identificarse con los demás puede comportar estados de angustia identitaria, como la de fundirse en el otro y dejar de conocer los límites de la propia identidad. Como reacción, este tipo de angustia provocará actitudes de alejamiento y aislamiento, corriéndose el riesgo de que el adolescente se refugie en los alimentos. En efecto, este desplazamiento hacia la comida de las ganas de encontrarse con los demás permite satisfacer la pulsión oral sin angustia, porque para los adolescentes los alimentos no son tan amenazadores como las personas, en la medida en que creen que pueden dominarlos más fácilmente. Entonces el hambre de encontrarse con los demás se transforma en un consumo excesivo de comida por razones puramente emocionales.

El reflujo de las pulsiones y sus fracasos

Cuando la adolescencia se termina, se efectúa un reflujo de las pulsiones, las cuales están de nuevo bajo control. Cabe considerar que la adolescencia puede constituir una segunda posibilidad para volver a normalizar las pulsiones de la infancia, sobre todo cuando estas últimas se han desorganizado al entrar en un período de latencia.

Lo ilustraremos con un ejemplo. David era un niño obeso. Su obesidad estaba directamente relacionada con un excesivo consumo alimentario (hiperfagia). Nacido en una familia donde la ingesta alimentaria estaba culturalmente valorada, su madre, sobre todo, y a pesar de su buena voluntad, no había regulado la apetencia oral de David, cediendo a todas sus demandas e incluso anticipándose a ellas. Y hasta la pubertad David siguió siendo un tragón, un chico gordo y muy dependiente de su madre. Pero al llegar a la adolescencia se abrió más al mundo y a los conocimientos de toda clase, diversificando así los modos de satisfacer sus pulsiones orales, en especial por medio de encuentros amistosos (a imagen de su padre, que era muy sociable, y con el que entonces se identificó) y amorosos. Se convirtió en un joven que sólo comía lo que necesitaba y su hambre se adaptó a sus necesidades. Perdió todos los kilos de más y pasó a estar a gusto consigo mismo.

Pero una mala regulación de la pulsión oral después de la adolescencia explica ciertos trastornos del comportamiento alimentario, en particular, la hiperfagia. Y en este caso está indicado someterse a una psicoterapia de tipo psicoanalítico, porque con un simple régimen no sería suficiente.

Existen dos formas de mala regulación de la pulsión oral que conducen a los excesos alimentarios: una cualitativa y la otra cuantitativa.

En la primera, la pulsión oral únicamente se satisface con el consumo de alimentos. Existe un defecto de inversión de la pulsión oral hacia otros modos que no sean los de la ingestión de alimentos. En este caso, es necesario desarrollar todos los demás modos posibles de satisfacer la pulsión oral: el saber, la cultura, la música, el canto, los encuentros y los intercambios con los demás, etcétera.

En la forma cuantitativa, la persona satisface su pulsión oral de diversos modos, pero con demasiada intensidad. La pulsión no está bastante limitada en su conjunto. Se trata de una personalidad denominada «oral», anclada en este estadio. Entonces la terapia consiste en desarrollar todos los mecanismos de control posibles (represión, soñar despierto…) y, por otro lado, en favorecer la fijación en otros estadios (desarrollar la pulsión de dominio y la pulsión genital).

Las llamadas personalidades «orales»

Una persona adulta anclada en el estadio oral durante la construcción de su personalidad estará dominada en sus necesidades, apetencias y comportamientos por pulsiones orales mal dominadas. En el plano amoroso, procurará comulgar y fusionarse con el otro, y será muy dependiente del ser amado. En este tipo de personalidades también destacan otros rasgos: el miedo a la soledad, la impaciencia, el «todo o nada» en sus elecciones y el principio de placer por encima del principio de realidad; en el amor, muestran una cierta tiranía en sus demandas, una inversión masiva que coloca a la sexualidad en un segundo plano respecto a la presencia y a las relaciones amorosas, a la búsqueda del gran amor, a la importancia que se concede a la expresión de los sentimientos amorosos y a las pruebas de amor, y, por último, una relación distante con el dinero (mala gestión, gastos excesivos).

En el plano de las patologías, en este estadio es en el que germinan la bulimia y la dependencia al alcohol y al tabaco.

El carácter exigente y egocéntrico del adulto dominado por la oralidad a veces va unido a una forma de sadismo (como un eco del sublime placer que proporciona el hecho de morder), que se manifiesta en la tendencia a imponer inmediatamente su voluntad sobre los demás. Y a la inversa, cuando la represión de las tendencias orales es demasiado intensa, ello se traduce de diferentes modos, dependiendo de los ámbitos implicados. En el plano amoroso, dificultad para intercambiar palabras de amor; en el campo erótico, negativa de todo placer oral, que puede llevar a sentir asco respecto a los besos excesivamente apasionados o a la felación; en el ámbito cultural, desconfianza para aprender nuevos conocimientos, y en el plano alimentario, como ya hemos visto, conductas de restricción alimentaria que se manifiestan por medio de una atención constante a fin de no comer demasiado, de una conducta ascética, de ortorexia[1] o incluso de anorexia.

Pero la pulsión oral no es la única implicada en los trastornos del comportamiento alimentario relacionados con las emociones. Asimismo, las pulsiones de dominio, o pulsiones «anales», desempeñan un papel importante, el cual, a pesar de ser menos conocido, también es muy influyente.

---

1. Comportamiento que denota una obsesión por ingerir únicamente alimentos considerados sanos.

La pulsión de dominio

A estas pulsiones de dominio y de control, Freud les otorga la calificación de «anales» porque la fuente física de la excitación se extiende a lo largo del tubo digestivo. Así pues, estas pulsiones influyen en la digestión, lo que explica que muchas de nuestras preocupaciones puedan manifestarse a través de los trastornos digestivos. Dichas pulsiones se estructuran en torno a los dos años de edad. Este tipo de pulsión empuja a conservar los «objetos»; es decir, tanto los alimentos como los pensamientos o los sentimientos, dentro de uno mismo. También incita a expulsarlos después de haberlos digerido, es decir, una vez destruidos o modelados. Es la etapa en la que el niño integra la frontera entre lo que está dentro de sí mismo (el yo) y lo que le es ajeno, pero también entre lo que le pertenece y lo que es de los otros. La noción de propiedad data de este período.

Al principio, hay un placer físico por medio de la estimulación local de la retención o del tránsito de las heces. El niño se complace en retener sus heces o, al contrario, en depositarlas en la cama o en el orinal. Este placer va a servir de base al placer psicológico de poseer, de conservar y de retener (los alimentos, los kilos o las emociones), pero también al de dar. Este proceso se extenderá a las personas: del mismo modo como el niño asimila por medio de la adquisición de la noción de limpieza el control de sus excreciones, paralelamente también aprende a dominar a los demás. Realiza el aprendizaje de la manipulación mental. Es el período del «no»: el pequeño se opone y se cree todopoderoso. Su agresividad se estructura en este estadio. El estadio anal es el estadio donde más se manifiesta la agresividad. Físicamente, dicha agresividad se expresa por medio de la expulsión de objetos destruidos (al principio los alimentos digeridos convertidos en heces), pero también por su conservación dentro de sí para controlarlos o dominarlos. Así, junto a la agresividad que se exterioriza a través de golpes, palabras, actos hostiles, etcétera, está la denominada agresividad «pasiva», que se manifiesta a través de la retención, el silencio hostil, la no intervención y la indiferencia despectiva. A veces, este tipo de agresividad basada en la «conservación» desemboca en la acumulación de kilos.

Esta agresividad puede afectar a todo el mundo, es decir a alguien en particular, o bien a algunas personas concretas. Éste es el caso de Maud, que vivía sola con su madre, viuda. Esta última era tan delgada como corpulenta era Maud, y no dejaba de echarle en cara a su hija, de mil y una maneras distintas, su sobrecarga ponderal. El seguimiento del caso de Maud puso en evidencia que la base de su retención ponderal se debía a la profunda hostilidad que albergaba respecto a su madre. Por otra parte, cuando Maud consiguió aprender a expresar su agresividad (justificada, en parte, por la actitud materna) de otra manera y sobre todo cuando se distanció de su madre, en especial cambiando de domicilio, tanto su peso como su animosidad retenida disminuyeron.

Cuando el niño se opone a todo y disfruta diciendo ciertas palabrotas como pipí y caca, puede decirse que está en el estadio anal. Asimismo, en la adolescencia, el regreso de las pulsiones anales se traduce en comportamientos de oposición permanente y en la expresión de palabras groseras.

Cuando el adulto expresa sus sentimientos de frustración y de cólera, así como todas las subcategorías de estas dos emociones primarias, se produce una liberación pulsional. Y al revés, una represión pulsional demasiado acentuada puede inducir la acumulación de grasa.

En la adolescencia, estas pulsiones de dominio y control, si se ejercen sobre el propio cuerpo, pueden provocar comportamientos ascéticos que pueden llegar a la ortorexia o a la anorexia. Dichos comportamientos ascéticos son también la expresión del control de los deseos sexuales. Y al revés, la relajación de las pulsiones anales (algo que al principio en los niños pequeños está relacionado con el placer de depositar las heces fuera del orinal) induce un abandono en el modo de comportarse, vestirse y alimentarse, sin control y sin moderación tanto cuantitativa como cualitativa.

La agresividad, nacida de la pulsión anal que espontáneamente se dirige contra el otro, puede volverse contra uno mismo y al mismo tiempo proporcionar satisfacción. Eso es algo que los padres pueden comprobar cuando, al reñir a su pequeño, ven cómo en respuesta éste se pega a sí mismo, rompe sus juguetes o se priva de comer un plato que le gusta. Más tarde, en la adolescencia, no es raro ver a jóvenes a los que, más o menos voluntariamente, la culpabilidad les lleva a herirse, e incluso a automutilarse. Si este giro de la agresividad contra uno mismo, originado por las pulsiones anales, se efectúa de una manera demasiado sistemática y pasa a ser permanente, puede servir de abono a comportamientos masoquistas, como «rellenarse» de comida o abandonarse físicamente por medio de comportamientos alimentarios desestructurados.

Así pues, vemos que, en el plano alimentario, las pulsiones anales pueden conducir a controlar o a restringir el aporte alimentario en un deseo de controlar el propio cuerpo, lo que puede conllevar tanto un equilibrio adecuado de los aportes y las necesidades, como comportamientos ascéticos. Pero también pueden dar lugar al caso contrario; es decir, pueden ser el origen del sobrepeso por medio de diversos mecanismos: almacenamiento de tejido graso causado por una dinámica de conservación, relajación del comportamiento alimentario o desplazamiento de la agresividad contra el propio cuerpo.

Así pues, las pulsiones que emanan del niño desempeñan un papel activo en el modo de gestionar emocionalmente su relación con los alimentos. Pero el entorno familiar y social también desempeña un papel fundamental en la fabricación del sobrepeso emocional de los niños, los adolescentes o los adultos.

3

La influencia de la educación y del entorno

Cuando su madre, su nodriza u otra persona le alimentaron, a usted le dieron algo más que el mero alimento. Cuanto más pequeño sea el niño, más ricos serán los intercambios relacionados con la alimentación. El bebé absorbe, a la par que el alimento, las emociones vehiculadas por el adulto. Conforme va creciendo es capaz de diferenciar mejor los diferentes tipos de aportes (concretos y abstractos), y cada vez funciona menos como una «esponja» con su entorno humano. Pero sus primeras relaciones influirán sobre su propia representación de los diversos alimentos, así como sobre su futuro comportamiento alimentario.

«¡Para ser alguien tienes que comer!»

El bebé con carencia de aportes alimentarios sufre un descenso de la tasa de azúcar en la sangre (hipoglucemia), lo que le provoca sensación de malestar. Su cuerpo reacciona secretando hormonas (catecolaminas), que recogerán el azúcar de los músculos. Y como estas hormonas son también las del estrés, desencadenarán nerviosismo, agitación, gritos y lágrimas. Alertado ante estas señales, sus padres satisfarán las necesidades del bebé y lo calmarán físicamente dándole leche. El bebé se implicará positivamente con las zonas de su cuerpo por las que pase este alimento, fuente de bienestar. Al mismo tiempo que se alimenta, va a mentalizar estas experiencias y a crear imágenes, como la del biberón colocado en su boca y la de la cara sonriente de la persona que lo alimenta. De este modo comienzan a entrelazarse, de una manera muy humana, sus necesidades (alimentarias) y sus deseos de interrelación humana. La función alimentaria participa en la mediación con la persona que le da el alimento, que le parecerá buena o mala dependiendo de cómo satisfaga sus necesidades.

Ya hemos visto también cómo el recién nacido, estimulado por su pulsión oral, paralelamente a la alimentación incorpora todas las informaciones que sus cinco sentidos pueden proporcionarle. Y todo lo que capta sensorialmente el niño lo invierte de manera más o menos positiva dependiendo de la intensidad, la calidad, el ritmo y la frecuencia de lo que percibe. Por ejemplo, cuando bebe leche, el bebé logra discernir, a través de su sentido del tacto, si su madre o su padre lo llevan en brazos de una manera más o menos agradable. Asimismo, el niño percibe el ritmo con el que se satisfacen sus necesidades y puede sentirse frustrado si se le hace esperar demasiado, o, al revés, si le dan de comer antes de haberlo pedido o de que haya dado muestras de tener hambre.

La relación con los padres encargados de alimentarlo hace que intervenga lo concreto de los alimentos, que constituirá la base de la afectividad, las emociones, las representaciones mentales, agradables o desagradables, y los símbolos; es decir, todo aquello que define el pensamiento y los afectos. Por ejemplo, cuando el bebé es alimentado por su madre, al mismo tiempo que la leche se traga las palabras que ésta le dirige, su olor, el timbre de su voz, su imagen y su humor, pero también sus pensamientos comunicados de un modo infraverbal, ya que el bebé todavía no es capaz de decodificar el sentido de todas las palabras. En torno a la alimentación se irán elaborando los procesos de identificación. La incorporación alimentaria constituye el soporte concreto de la incorporación psíquica de la identificación. Así, el bebé que es alimentado por su madre, al mismo tiempo que los alimentos, también ingiere «trozos» de esta última. Se convierte un poco en su madre. Como el bebé se siente unido con lo que traga, se identifica con lo que capta. Absorber un objeto concreto (el alimento) o abstracto (las palabras de su madre) equivale a ser este objeto. A eso se le llama «proceso de identificación primaria». Identificándose con ella, volviéndose en parte como ella y confundiéndose con ella, el bebé empieza a construir su personalidad y franquea la primera etapa de la percepción de su identidad. Se ve en su madre, y tomándola como modelo se identifica con su propia imagen; Jacques Lacan lo denomina el «estadio» del espejo. Para el bebé, «yo» es otra persona con la que él se identifica. Y el alimento sirve de soporte concreto para esta identificación.

El alimento vehicula las emociones de los padres

Cuando uno de los padres alimenta al bebé, en parte le está transmitiendo lo que siente emocionalmente. Así, cuando la persona encargada de alimentar al niño está sistemáticamente angustiada, por razones relacionadas, o no, con su función educativa, el niño percibirá dicha angustia y la asociará con la toma de alimento.

Al bagaje emocional de los padres cabe sumar la manera como alimentan a su hijo. A modo de ejemplo citemos ciertas prescripciones alimentarias demasiado rígidas: la persona encargada de la alimentación, la madre, para el caso, alimenta al bebé únicamente a horas fijas y con una cantidad previamente definida, sin tener jamás en cuenta las necesidades específicas del niño, y sin experimentar ningún placer personal en el hecho de alimentarlo. Este modo de alimentar al bebé, realizado sin una afectividad especial, lo convertirá en un adulto que a su vez mantendrá una relación poco afectiva con los alimentos, y se los tragará sin sentir ni verdadero placer ni disgusto, y sin fijarse en la cantidad que ingiere. Otros padres dan de comer sistemáticamente al bebé en cuanto llora, sin preguntarse si lo hace por cansancio, por malestar físico, por falta de comunicación o por aburrimiento, y como consecuencia, cuando el pequeño llegue a la edad adulta, será incapaz de identificar sus diferentes emociones negativas y recurrirá sistemáticamente a la comida en cuanto se sienta mal.

En la infancia la ingestión de alimentos puede llegar a ser algo agobiante. Sin la dimensión del placer, el niño asocia, a veces en exceso, la noción de obligación con las comidas. Las órdenes repetidas sumadas a ciertas consignas paternas como, por ejemplo, «Acábate el plato», «No quiero ver ni una miga», «Te quedarás sin postre si no te lo comes todo», tienen diferentes impactos dependiendo de los niños; especialmente, la idea de que tenemos que comer lo que nos dan, con hambre o sin ella, o se tengan ganas o no. Ello implica que, una vez que el individuo ha llegado a la edad adulta, corre el riesgo de mantener una relación meramente reglamentaria con los alimentos, sin ser capaz de comer según sus apetencias y sus necesidades.

La educación del gusto

A los cuatro sabores que percibimos con la lengua, dulce, salado, amargo y ácido, cabe añadir el olor que se capta no sólo desde la entrada de la boca, sino también en la orofaringe después de la masticación. Este conjunto es el que determina el gusto. Entre los diversos individuos existen desigualdades, probablemente genéticas, en cuanto a las competencias gustativas, y desde una etapa muy temprana ciertos lactantes se muestran muy selectivos respecto a sus gustos alimentarios. No es infrecuente que estos niños tengan más facilidad para expresar sus emociones y sean muy sensibles. En cambio, otros bebés se muestran poco selectivos y no se hacen los «difíciles» mientras tengan hambre.

El gusto también es una consecuencia del estado emocional del individuo. Eso es válido tanto para el niño como para el adulto: cuando estamos de buen humor, nos hallamos predispuestos a apreciarlo todo; pero cuando estamos gruñones y amargados, nos parece que a la vida le falta tanta sal como a la comida que tenemos delante. Las zonas sensoriales del cerebro que rigen los diferentes sentidos están relacionadas con las que rigen las emociones (zona talámica) y la memoria (que hace que tal o cual sabor nos remita al pasado como la magdalena de Proust).

Pero, como es lógico, tanto el gusto como los otros sentidos, el olfato, el oído, el tacto y la vista, se desarrollan y se educan a lo largo del tiempo. Una vez más, conviene decir que es necesario que el entorno del niño posea una cultura del gusto. Somos de la opinión de que al niño hay que permitirle probar, desde una época muy temprana, diferentes sabores, porque cuanto más joven sea, más desarrollada estará su capacidad de diferenciación. Así será apto para analizar con precisión lo que comerá más adelante. Cuanto más refinado sea su conocimiento de los sabores, más sutil será el placer que sentirá al comer, más sabrá escoger lo que quiere comer y menos comerá cualquier cosa por el mero placer de tragar y de sentir cómo sube su tasa de glucemia. Entonces la calidad gustativa se impondrá sobre la cantidad. En este sentido es probable que desde este punto de vista la lactancia materna sea más enriquecedora que la lactancia artificial. En efecto, mientras que la leche artificial siempre tiene el mismo gusto y la misma composición, el sabor de la leche materna no sólo varía en el transcurso de una misma toma (su composición se modifica entre el principio y el fin de ésta), sino también de una toma a otra, dependiendo de la alimentación y del estado general de la madre.

Tanto nuestro gusto como el placer de comer dependen en gran manera del contexto. En el transcurso del desarrollo, todos los sentidos están relacionados. El niño y el adulto apreciarán más o menos una comida en función del aspecto de los alimentos, de su aparente consistencia (los niños no dudan en tomar la iniciativa para comprobarlo), incluso del ruido que hacen cuando se mastican. El contexto también es importante: la presentación del plato, el marco (apartamento, restaurante, destino vacacional, etcétera), la persona que ha preparado la comida (la mamá, un cocinero simpático o la horrible tía Agathe)…

Por último, el gusto también está relacionado con la imaginación y la representación simbólica que tenemos de cada alimento.

El niño también traga símbolos

Para los seres humanos, los alimentos no son algo neutral. Cada uno de ellos tiene una carga simbólica; es decir, un sentido oculto que va más allá de su definición científica (número, peso, tamaño, color, aporte calórico, etcétera). Están los símbolos comunes a una cultura, a una religión, a una época, a una familia y a un individuo, en función de la historia personal de cada uno y del papel que tal o cual alimento haya desempeñado para él.

Así, por ejemplo, en Occidente, nos daría asco comer cucarachas, mientras que en Asia son muy apreciadas. En África es de buen gusto comer saltamontes, algo que desde hace siglos es impensable en Occidente. Comer carne de perro es ilegal en Francia, pero en China es un manjar apreciado. A los ingleses les choca que los franceses coman conejo y ranas. Los hindúes no comen carne de vaca, y los judíos y musulmanes no comen cerdo. Hoy en día estas normas alimentarias dictadas por la religión se han visto reemplazadas por, o asociadas a, las dietéticas. Nuestros abuelos consideraban que las carnes rojas contribuían a que los individuos crecieran fuertes y vigorosos, y lo mismo sucede con las espinacas (a partir de Popeye); la leche tiene fama de purificar y calmar el organismo, la sopa de favorecer el crecimiento, las zanahorias de fomentar la amabilidad, los sesos de estimular la inteligencia, los melocotones de embellecer la piel… En la sociedad occidental, a los niños se les hace creer que el azúcar es una especie de recompensa. Y ello no sólo por medio de pasteles o golosinas que se les dan para que «disfruten», sino también por medio de las tartas de cumpleaños y del hecho de que la elección del postre se posponga hasta el final de la comida («Lo mejor se guarda para el final»), así como mediante la amenaza de dejarlos sin postre si no se acaban los platos «salados». Todo eso contribuye a que el individuo equipare mentalmente los alimentos azucarados con una recompensa, la cual se dará a sí mismo más tarde, cuando busque consuelo.

Las expresiones metafóricas relacionadas con la comida, propias de cada lengua, son otros tantos ejemplos de la naturaleza simbólica de los alimentos: «Ha comido a dos carrillos», «¿Me comeréis vivo o esperaréis a que me muera?», «Comer en la mano de alguien» «Se ha comido todos los ahorros», «Me niego a tragarme eso». Asimismo, el entorno cultural en el que el niño crece confiere un sentido particular a todo lo que ingiere.

Así pues, los alimentos vehiculan tanto las emociones de los padres como los símbolos culturales del medio en el que el niño evoluciona. Pero cada niño otorgará su propia simbología a cada nuevo alimento que vaya conociendo. Cuando el niño come un alimento, también ingiere un aspecto, un olor, un color y una consistencia (de lo duro, de lo blando, de lo crujiente...), que varían en función del modo como está cocinado. Para cada una de estas características, hay una asociación emocional posible (así, cada color no sólo tiene un significado simbólico común, sino también uno que corresponde a cada uno de nosotros). Por ello, es normal que el niño pequeño reaccione físicamente en la mesa, que se muestre reticente, eufórico, nervioso o malhumorado. Meterse algo dentro del cuerpo no es algo baladí, sobre todo cuando ese algo no es neutro ni afectiva, ni simbólicamente.

Por ejemplo, cuando el niño se come un rábano, cree que va a transformar este rábano en un trozo de sí mismo. Pero también puede temer transformarse en rábano, lo que explica que se muestre reacio a tragárselo, y que prefiera que el rábano esté trinchado o cortado en rodajas.

Precisamente, la cocina es un arte porque en ella los alimentos, los sentidos y las emociones están relacionados simbólicamente.

Cuando la televisión da de comer al niño...

El niño come de la misma manera como descubre el mundo y como aprende: convirtiéndolo en una experiencia propia. Es normal que se muestre activo en su descubrimiento de los alimentos, probándolos, toqueteándolos y seleccionándolos. Bien al contrario, sería más inquietante que se mantuviera completamente pasivo respecto a la alimentación, tragándose todo lo que le dan de un modo indiferenciado.

Sin embargo, eso es lo que pasa cuando desde muy pequeño se le acostumbra a comer delante del televisor, porque entonces, deslumbrado por las imágenes televisivas, presta muy poca atención a lo que come. Su encuentro con los alimentos se ve perturbado. A lo sumo, para él no son más que una especie de masa calórica que satisface una necesidad, pero que no tiene nada que ver con el deseo. Al no estar metabolizados mentalmente, los alimentos son sólo los transportadores neutrales de las imágenes que van desfilando por la pantalla de la tele. Ahora bien, dichas imágenes tienen un impacto emocional sobre el niño, y estas emociones son las que el niño se traga. Unas emociones que no son ni las de los padres, ni emociones elaboradas a partir de lo que el niño imagina cuando ingiere tal o cual alimento, sino otras provocadas por el imaginario del autor del programa televisivo. Así pues, a través de este imaginario, un imaginario *prêt-à-porter*, es como el niño va a cartografiar afectivamente su cuerpo. Tanto para el niño como para el adolescente o el adulto, las pantallas no «liberan», sino que captan las emociones y las absorben, y no permiten que el individuo pueda expresarlas; las ingiere tal cual o de un modo mucho más intenso, pero le resulta imposible metabolizarlas.

Así pues, para las vivencias emocionales del niño relacionadas con la alimentación y con sus variaciones de peso tiene mucha importancia la influencia de los padres y del entorno (familiar o cultural). Así, los tratamientos prescritos a niños aquejados de sobrecarga ponderal ofrecen mejores resultados cuando tienen en cuenta a los padres. Ciertos estudios señalan que hasta puede ser más eficaz tratar sólo a los padres que solamente a los niños.

Pero si bien es verdad que los primeros años de la vida son fundamentales para explicar el origen del sobrepeso emocional del adulto, también lo es que la adolescencia es un período clave de las vivencias emocionales de la alimentación.

La obesidad de los niños y los adolescentes

Puede decirse que el 16% de los chicos y el 19% de las chicas adolescentes padecen una gran sobrecarga ponderal. Sentirse mal consigo mismo y las burlas de los compañeros son las principales quejas de los adolescentes con sobrepeso. A los chicos estas burlas les afectan más que a las chicas. En tercer lugar, hay que contar con las dificultades a la hora de hacer deporte, que sobre todo conciernen a la obesidad pronunciada.

En torno a los cinco años de edad, el niño comienza a expresar de un modo personal un malestar relacionado con su sobrepeso. A cambio, a partir de esta edad para los demás pequeños un niño demasiado gordo es alguien sucio, tonto, vago y poco atractivo. Por término medio, los niños con una gran sobrecarga ponderal tienen menos amigos. Los niños de hoy tienen una imagen más negativa de los niños obesos que la que había hace cuarenta años —aunque entonces el sobrepeso ya estuviera señalado con el dedo—. Eso es fácilmente comprensible cuando uno piensa en lo sensibles que se muestran los niños ante las modas, que en nuestros días han convertido la delgadez en un ideal. Y actualmente el aumento del número de niños obesos o con sobrepeso no disminuye la intensidad de esa estigmatización. Desde que ingresan en la escuela primaria, los niños con sobrepeso muestran una autoestima inferior a la de los niños con un peso normal, especialmente en lo que se refiere a su apariencia física y a lo atractivos que resultan. Cuanto más gordos están, menos guapos se ven a sí mismos, y, lo más sorprendente, se consideran menos inteligentes.

Tanto en lo que se refiere a los niños como a los adolescentes o los adultos, la obesidad va unida a un nivel de ansiedad más alto que el de la media. Los niños y los adolescentes obesos presentan más trastornos psíquicos que la población normal.

Pero afortunadamente eso concierne tan sólo a una minoría. Aunque es indudable que entre la población heterogénea de niños con sobrepeso existen subcategorías, y que los factores emocionales están más involucrados para unos que para otros. Así, un estudio anglosajón constata que entre estos niños hay un número estadísticamente superior al normal de TDA (trastorno por déficit de atención con hiperactividad). Pero aun en el caso de que no presenten ningún trastorno, estos niños pueden llegar a experimentar un auténtico sufrimiento psíquico, aunque sólo sea por las burlas de los demás.

El período de la prepubertad es crítico a este respecto, y eso es así hasta el final de la adolescencia. Confrontado desde la escuela primaria a unas burlas que en primer momento lo sorprenden, sobre todo teniendo en cuenta que en su familia han sido benevolentes con él, el adolescente obeso irá elaborando mecanismos de protección. Como nos cuenta Nathan: «Me acostumbré. A veces, se lo decía a los profesores, aunque eso no sirve de gran cosa». Porque en comparación con otras clases de estigmas, la tolerancia social frente a esta clase de agresión es muy grande, y el hecho de que a alguien le traten de «gordo» no se toma demasiado en serio.

Existen estudios que muestran que los adolescentes que padecen sobrepeso durante varios años cursan estudios menos largos, se casan menos y por término medio disponen de menos ingresos para cubrir las necesidades del hogar. Los estudios no señalan si en el origen de estas dificultades sociales existen factores emocionales, pero las consecuencias mencionadas son en sí mismas fuente de emociones negativas.

Por último, la estigmatización y la importancia que los adolescentes conceden a su aspecto físico pueden llegar a provocarles menosprecio respecto a sí mismos y hasta depresiones. Ciertos estudios muestran que entre la población de adolescentes obesos se constatan de dos a tres veces más ideas suicidas que entre la media de su edad. Y también aumenta el riesgo de padecer algún trastorno del comportamiento alimentario.

El peso de los padres

Con el propósito de intervenir en el sobrepeso de su hijo, a menudo los padres imponen ciertas restricciones alimentarias poco adecuadas que, al final, acaban generando una cierta indefinición entre las ingestas alimentarias y las señales de hambre y de saciedad. Por otra parte, el temor a engordar, que aparece a partir de la infancia, incita al niño o al adolescente a adoptar de manera espontánea unos perniciosos comportamientos restrictivos al margen de cualquier implicación paterna. Éste es el origen de los «ataques de hambre», esos trastornos del comportamiento que tan bien describen los especialistas de los comportamientos alimentarios al referirse a los adultos que hacen régimen, y que también a los jóvenes les producen sentimientos de incapacidad y de vergüenza. Si se repiten, esta clase de alteraciones atentan de manera crónica contra la estima de sí mismo y a largo plazo generan trastornos del humor.

Pero aunque generalmente, cuando es pequeño el niño con sobrepeso goza de la benevolencia de sus padres, en la adolescencia, en cambio, es fácil detectar actitudes que tienden a estigmatizarlo. Así, los colegiales con sobrepeso reciben proporcionalmente menos dinero de bolsillo que los demás.

En el caso de la chicas, desde una perspectiva fisiológica puede decirse que cuando están más gorditas es en torno a los dieciséis años de edad. Después se van afinando progresivamente hasta llegar a los veinte años. Pero se trata de un período que ellas, y a veces hasta sus padres, tienen dificultades para controlar adecuadamente. En la adolescencia, el sobrepeso real (según las curvas de peso) o subjetivo desempeña un papel muy importante en las relaciones entre los padres y los hijos. La mayor parte de las veces constituye un factor de conflicto o de dependencia. Ciertos padres, del mismo sexo o no, llegan a secundar a su hija en sus quejas. Y entonces este tema puede convertirse en el núcleo de la convivencia y acabar rigiendo la vida familiar: se eligen las comidas y los lugares de vacaciones en función de este imperativo. A menudo, el régimen puede llegar a ser fuente de conflictos cuando uno de los padres decide hacerse cargo de él, sobre todo cuando entre las motivaciones paternas hay un deseo inconsciente de seguir conservando su influencia sobre el hijo cuando a éste le llegue la hora de emanciparse. O bien cuando azuza la rivalidad entre la madre y la hija respecto al tema de la figura, a una edad en la que vuelve a aparecer la competición edípica.

Si las madres hacen régimen, tienden a querer que sus hijas adopten los mismos métodos que ellas. Pero lo que es eficaz para uno, no siempre lo es para otro, ya que el régimen tiene que ser personalizado. Además, entonces las adolescentes se mueven entre el deseo infantil de «hacer como mamá» y el deseo de rechazar esta influencia. La actitud de los padres influye sobre el comportamiento alimentario y sobre el peso de sus hijos y, recíprocamente, las variaciones de peso influyen sobre los comportamientos paternos.

Las causas del sobrepeso de los adolescentes

Hoy en día, las causas del sobrepeso de los adolescentes son diversas y, en un cierto número, comunes a las de los adultos:

- Los factores genéticos, como en todas las edades.
- El modo de alimentarse: frecuentación de restaurantes de comida rápida, comidas menos reglamentadas, a veces tomadas en solitario en la propia habitación o fuera de los horarios familiares. Lo que suele ir acompañado de un desequilibrio nutricional.
- Los defectos educativos, como, por ejemplo, una oferta alimentaria demasiado importante por parte de los padres; un estímulo sistemático para comer por parte del entorno; modelos paternos distorsionados (así, los niños con sobrepeso comen más deprisa que la media, tal como hacen sus padres).
- Escasa actividad física.
- La anarquía emocional habitual en este período de la vida, que favorece compulsiones alimentarias igualmente anárquicas.
- Por último, ciertos traumas, como las agresiones sexuales, que, según ciertos estudios, se producen con más frecuencia entre las personas de este grupo.

Las causas o factores, psicológicos o emocionales, considerados favorecedores que los estudios revelana de diversas maneras son: una pobre autoestima, una imagen del cuerpo negativa en su globalidad, trastornos afectivos, ansiedad, estados depresivos o trastornos del comportamiento social.

Los conflictos sobre el tema del cuerpo también son factores que provocan el almacenamiento de grasa, bien sea por causa de la contención de la cólera, de la agresividad que el individuo vuelve contra sí mismo para que no afecte a sus padres o del deseo inconsciente de mantener un estado de dependencia respecto a sus progenitores. El aumento de peso como un escudo para protegerse del deseo sexual de los hombres (familiares o desconocidos) es un factor capital entre las adolescentes, ya que en esta etapa se toma conciencia de los deseos masculinos y del despertar de los propios deseos.

Pero las consecuencias son también las causas; así, el menosprecio hacia uno mismo, causado por la propia opinión o por las burlas del entorno, provoca que el individuo se encierre en sí mismo y que opte por conservar la grasa que envuelve su cuerpo en vistas a protegerse.

Destaquemos también que la adolescencia es un período propicio para que se produzca una dependencia respecto a los alimentos, la cual puede llegar a prolongarse en la edad adulta. Porque depender de los alimentos es un método inconsciente para no seguir dependiendo de nada ni de nadie.

El niño imaginario

El hecho de ser gordo, entrado en carnes, adiposo, hinchado, torpe, fuerte, pesado, macizo, de formas generosas, opulento o abotargado nos coloca en lugar especial en el entorno que nos rodea. Pero mirando hacia atrás, también nos ha dado una identidad que nos representa en nuestra familia. Es posible que nos engancharan esta etiqueta en una etapa muy temprana, desde el principio de la juventud, si nuestra gordura es antigua. Nuestro modo de ser hace que nuestro entorno nos perciba de una cierta manera. Pero nosotros nos vamos volviendo tal como nuestro entorno nos ve. Es indudable que lo que el niño llega a ser es el resultado de la educación que ha recibido, pero desde una perspectiva más global también es la síntesis de múltiples deseos: los de las personas que cuentan para él y en particular los de sus padres.

La influencia paterna sobre nuestra evolución procede de antes del nacimiento. Cuando está embarazada, la futura madre se imagina al niño en el que el feto se convertirá a partir de sus convicciones íntimas y a partir de sus deseos inconscientes, que algunas veces se remontan hasta su propia infancia, a un tiempo en el que, cuando era niña, se imaginaba que era la mamá de un niño, y quién sabe si, mientras jugaba con su muñeco, no pensaba en que el padre era su propio papá. La niña o el niño que juegan a papás y mamás suelen inspirarse en el modelo de sus propias madres o de sus propios padres. Y a veces pueden describir con precisión asombrosa a sus hijos imaginarios.

Cuando le pregunté a Élodie, de cuatro años, sobre el muñeco con el que jugaba durante la consulta, me lo presentó con todo detalle: «Se llama Eliot, está muy gordo porque le gusta mucho el chocolate y sólo hace tonterías». Más tarde me enteré de que tenía un primo un poco mayor que ella, Eliot, de quien estaba un poco enamorada. Por otro lado, su adorado primo era goloso y estaba gordito, como su bebé Eliot: de tal padre imaginado, tal hijo imaginario…

Pero a ese niño imaginario no siempre se le ve de manera positiva. Si durante el período sensible de elaboración del niño imaginario, es decir, entre los tres y siete años, una niña padece trastornos educativos y afectivos que llegan a perturbarla, la futura madre en la que se convertirá podría cargar a su hijo imaginario de elementos negativos.

«Eso fue, sin duda, lo que le sucedió a mi madre —me confía Maïa—. De niña, fue maltratada por sus tíos, a los que había sido confiada y que la criaron. Se encontró embarazada de mí sin haberlo querido, con un hombre que la abandonó. Mi madre no se quería a sí misma lo suficiente como para pensar que pudiera parir a nadie que fuera bueno. Yo casi no había nacido cuando ya pensaba que entre nosotras nunca habría gran cosa. Desde el principio, para referirse a mí, mi madre decía la «bolita». Y eso seguí siendo para ella, una pequeña bolita que llevaba dentro del vientre y que luego le quitaron. Afortunadamente, en mi abuela paterna encontré el amor que ella no pudo darme, pero durante mucho tiempo me vi como una masa informe, y luego como una excrecencia, una verruga, una bola o un fardo. Por otra parte, en mis dibujos infantiles me dibujaba como una yuxtaposición de esferas: cabeza redonda, cuerpo redondo y miembros redondos. Sólo más tarde, cuando comencé a verme de otro modo, cuando poco a poco me fui desprendiendo de la imagen que mi madre tenía de mí, cuando ella misma empezó a verme de otra manera, y cuando los demás me ayudaron a verme como un ser humano, en especial al principio de la edad adulta, fue cuando perdí físicamente mis formas informes y acabé teniendo una forma de verdad».

A este niño imaginario que duerme en nosotros desde la infancia se suma el niño imaginado, el que la mujer embarazada se representa conscientemente, a partir del sentimiento específico de su embarazo, es decir, según se sienta más o menos bien físicamente, de que el feto se mantenga tranquilo o nervioso dentro de su vientre, según la fecha de nacimiento prevista y del futuro signo zodiacal del niño, por ejemplo. «Me siento enorme —dice Estelle, a pesar que se halla dentro de las normas de peso de una mujer embarazada de tres meses—. Estoy segura de que será un bebé gordo. Por otra parte, su hermano y sus tíos son muy corpulentos», añade.

Vínculos que se transmiten de generación en generación

Uno puede querer encontrar conscientemente en su hijo ciertos rasgos de uno de sus ascendentes, pero también puede desearlo sin ser consciente de ello. En efecto, a veces queremos encontrar los defectos (en todo caso considerados como tales hoy en día) de un ascendente que nos marcó cuando éramos niños. Necesitamos encontrarlos, aunque sólo sea para intentar comprenderlos y digerirlos.

Así, el niño de Samira es muy agresivo, como lo era su propio padre con ella. De hecho, su hijo se somete al deseo inconsciente de Samira de encontrar lo que la hacía sufrir en la persona de su padre. ¿Con qué fin? Quizás inconscientemente para poder perdonar a su padre («Si mi padre y mi hijo son violentos conmigo, será porque la culpa es mía», podría decirse), porque es siempre psicológicamente penoso estar resentido con su padre. O como si quisiera intentar comprender el modo de ser de su padre y dominar la situación volviendo a pasar el vídeo del pasado gracias a su hijo. Así, el deseo inconsciente de encontrar ciertos rasgos de nuestros ascendentes va unido al temor consciente de tener que enfrentarse a ello. Samira formuló desde el principio que le daba miedo que su hijo se volviera como su propio padre. Pero «por tradición», como dice ella, al niño le puso el segundo nombre de pila de su propio padre…

Más allá de las influencias paternas, están las influencias familiares. El niño, antes y después de su nacimiento, está en una encrucijada de deseos concientes e inconscientes de los otros miembros de la familia, que individualmente tendrán más o menos impacto.

Asimismo, están las influencias transgeneracionales. Pero esta noción, tan de moda hoy en día y que se conoce como «psicogenealogía», no es reciente. La psicoanalista Françoise Dolto ya la había utilizado ampliamente en su práctica, pero sobre todo los psicoterapeutas familiares o los psicoterapeutas sistémicos son los que han desarrollado toda una teoría respecto a ella. Las influencias transgeneracionales hacen, por ejemplo, que en un niño se detecten ciertos rasgos de carácter, conductas, dificultades psicológicas o relacionales y maneras de ser cuyo origen y explicación pueden encontrarse en la historia de un ascendente, que puede ser lejano, sin que exista una transmisión genética que lo explique.

Pierre era el único «rechoncho» en una familia de delgados. Aunque su madre le protegía, era el blanco de las burlas de sus hermanos o de sus primas, y sus mayores se pasaban la vida haciéndole observaciones desagradables sobre su supuesta falta de voluntad. Todo le llevó a albergar una profunda desconsideración hacia sí mismo y atribuyó a su peso su mediocre éxito profesional, sobre todo comparándolo con las profesiones de los diversos miembros de su familia. Afortunadamente, conoció a una mujer que se encariñó con él y que, como era una entusiasta de la psicogenealogía, decidió estudiar con él su árbol genealógico. Pierre descubrió entonces que en cada generación, por la parte de su padre, el hijo mayor desempeñaba el papel de chivo expiatorio y por razones diversas acababa apartado de la familia. Empezando por su tío paterno, que presentaba un eccema extendido por todo el cuerpo. Su entorno, al que su aspecto le daba asco (aunque el eccema no sea contagioso), lo mantenía a distancia, y su tío se vio obligado a someterse a frecuentes curas termales.

En la generación anterior, el hermano de su abuela fue marginado por la familia debido a su comportamiento delictivo, que comenzó muy temprano, ya que cuando era niño estuvo en un correccional. En cuanto al padre de ese hombre, llamado

Pierre-Marie, y que igualmente era el hijo mayor, también estuvo muy mal considerado, ya que lo entregaron a una niñera para que lo criara en su casa mientras sus hermanos y hermanas se criaron en el ámbito familiar, y luego, a partir de la escuela primaria, lo llevaron a un internado, mientras que los otros tuvieron un preceptor que les enseñaba en casa. Pierre descubrió con dificultad (en especial a partir de las cartas que encontró) que había una duda sobre los orígenes de su abuelo Pierre-Marie, cuyo padre jamás había estado seguro de ser su padre biológico (como les sucedía a muchos hombres en tiempos de guerra). A través de esta gran cantidad de hechos repetidos, fue como Pierre comprendió el estatuto de chivo expiatorio del hijo mayor, y el papel que él mismo no tuvo más remedio que desempeñar, bien a su pesar, en el seno de su familia. Este trabajo sobre sí mismo, realizado gracias a su amiga, lo transformó moral y físicamente. Adelgazó y adquirió tal confianza en sí mismo que se convirtió en un miembro imprescindible para su familia.

Obligada a ser gorda

En nuestros días, la delgadez ha pasado a ser una imposición. Por otra parte, en 2007 esta realidad movió a los diputados de la Asamblea Nacional a legislar para condenar a aquellos que estimularan las restricciones alimentarias exageradas. Las razones médicas, los motivos estéticos, o incluso el deseo de encontrarse bien invitan a perder peso; sin embargo, a muchas personas con sobrepeso les resulta imposible adelgazar. De nada sirven ni su propia voluntad consciente, ni una orden terminante procedente del exterior (de un médico, por ejemplo); la incapacidad para adelgazar se ha integrado en la parte inconsciente de su cerebro, a menudo desde la primera infancia. Se ha elaborado a partir de falsas creencias, a partir de pensamientos fantasiosos, a partir de construcciones imaginarias o a partir de fantasmas. Por ejemplo, en la infancia pudo existir una sumisión a unos deseos expresados conscientemente, o no, por el entorno que habría obligado a la persona a mantenerse o a volverse gordo.

La mayoría de las veces, se trata de consignas indirectas, no verbales, que se transmiten al niño. En efecto, a un niño lo moldeamos no sólo por medio de demandas explícitas, sino también implícitas; por ejemplo, sirviéndole de más, sistemática y repetidamente, en las comidas, interesándonos en exceso por lo que come, preocupándonos demasiado por su salud («¿Estás seguro de que has comido esta mañana?, ¡estás muy pálido!»), o identificándolo con personas gordas («¡Verdaderamente te pareces a mi padre…!», le repetirá a su hijo una mujer a cuyo padre le gustaba la buena vida)… Transmitimos nuestros deseos a nuestros hijos con plena conciencia o de manera del todo inconsciente.

Pero estas situaciones no encierran un deseo de perjudicar al niño. A priori, el hecho de querer encontrar al propio padre en el hijo no tiene nada de perjudicial. Ni tampoco lo tiene que esté falto de fuerza porque no come bastante. A un hijo se le puede querer y al mismo tiempo tener miedo de que se aleje de nosotros; por lo que querer inconscientemente mantener un vínculo de dependencia por el conducto de la alimentación es un compromiso que nos permite soportar su emancipación en otros ámbitos.

Sin contar con que el niño puede interpretar erróneamente los deseos paternos y traducirlos en una necesidad de almacenar kilos, cuando lo cierto es que se trataba de otra cosa. Por ejemplo, un padre veía a su hermana, a la que quería mucho, en su hija, pero pensando sobre todo en su temperamento, mientras que la hija, que había integrado la consigna de parecerse a su tía, tan sólo se fijaba en el aspecto físico de ésta, que era especialmente rechoncho.

Para el niño, expresar deseos familiares es una forma de manifestar su lealtad transgeneracional. Pero hay lealtades que nos ayudan a vivir y otras que nos oprimen. Estas imposiciones, que los individuos implicados esconden en el fondo de su historia personal, explicarían en parte o totalmente la dificultad que tienen para adelgazar, a pesar de seguir un régimen razonable y de su indudable voluntad.

Algunos casos

A continuación expondremos ciertas situaciones en las que, a lo largo de su desarrollo, ciertas personas fueron integrando una especie de prohibición para ser delgadas. Quizá se reconozca en alguna de ellas, pero, aunque no sea así, reflexione sobre una eventual prohibición que usted puede haber interiorizado.

Isabelle descubrió que procedía de una familia en la que, aunque los hombres tenían un peso normal, las mujeres estaban gordas. Pero ¿todas? No, una de ellas, su prima Élisa, era especialmente delgada.. Pero Isabelle ha dejado de verla. Élisa dejó el país y ahora vive al otro lado del Atlántico. Los mayores dicen que Élisa es la oveja negra de la familia, y que siempre ha hecho su santa voluntad. Isabelle comprende que esta prima es la rebelde inconsciente frente a un orden familiar que implícitamente, y entre otras cosas, a las mujeres les impone estar gordas. En todas las familias hay unas reglas no escritas que incluyen los modos como los hombres o las mujeres deben, respectivamente, comportarse o mostrarse. Al igual que las creencias religiosas o las opiniones políticas, pero en este caso implícita e inconscientemente. En la familia de Isabelle, la feminidad tan sólo podía asimilarse a estar rechoncha.

Camille descubrió que su prohibición para ser delgada simplemente se apoyaba en la historia de su hermano. Éste, víctima del sida, murió después de cuatro años de sufrimientos. Fue algo terrible para Camille, que vio cómo su querido hermano mayor volvía a vivir en casa de sus padres y se pasaba todo el tiempo en la cama, enflaquecido (él, que antes era una fuerza de la naturaleza) por causa de la enfermedad, los tratamientos y, sin duda, también por la depresión. Para Camille, mantenerse gordita era como gozar de buena salud. La delgadez equivalía a enfermedad, tristeza y muerte.

Para Marion, adelgazar habría sido como hacerle sombra a su madre, quien se enorgullecía de parecer tan joven como su hija y sobre todo de estar mucho más delgada que ella. Siempre había querido a Marion, pero ésta no podía renunciar a seguir sirviéndole de contrapunto.

Para Katline, estaba prohibido pasar desapercibida. Su madre, que la crió sola, tenía la enfermedad de Kreschmer, una forma particular de depresión que lleva aparejados un repliegue en sí mismo, inhibición, timidez excesiva, perfeccionismo y el sentimiento de que los demás son burlones, despreciativos y en general hostiles. Son personas grises, que pasan desapercibidas y que sufren en silencio. Katline tenía que convertirse en la ejecutante de su madre, en su ideal y en su contrario. La madre de Katline vivía con amargura, como si fuera algo sin valor, despreciada e incluso invisible (y hasta había llegado a persuadirse de un modo delirante de que estaba en el centro de todos los reproches, como un medio inconsciente de darse importancia). En cambio, quería que su hija destacara, que diera la talla y le sirviera de contrapeso. Y la psique de Katline se tomó al pie de la letra este mensaje. Se convirtió en alguien exuberante, en alguien que a los ojos de los demás parecía estar segura de sí misma y que físicamente también destacaba por su corpulencia.

Cabe recordar que estas prohibiciones de las que hemos hablado suelen están implícitas, al contrario de lo que sucede con las órdenes que, por ejemplo, se le dan a un niño para que no sea un mal alumno. El propio individuo es el que las integra a partir de lo que percibe de las expectativas fundamentales de sus padres o de las personas que tienen autoridad sobre él, de las creencias verdaderas o falsas a las que está adherido, o de las amenazas que según cree pueden pesar sobre él si no acata esas reglas interiorizadas.

No es fácil reparar en este tipo de prohibiciones porque se hallan en lo más profundo de uno mismo. Y todavía lo es menos quitárselas de encima. Por tanto, es conveniente que pida ayuda a un especialista, a un psiquiatra o a un psicólogo. Debe realizar un verdadero trabajo sobre su historia personal, aunque dicho trabajo no tiene por qué ser necesariamente demasiado largo. Se trata de que analice las diferentes conductas que le hacen plegarse ante las prohibiciones, así como sus intentos de rebelarse, y las actitudes de su entorno que lo apoyan o intentan liberarle. Luego hay que hacer un trabajo de imaginación para evaluar lo que habría pasado y lo que nos ocurriría si hubiéramos dejado de someternos a las prohibiciones.

Ignorar estos mecanismos que condicionan nuestro modo de ser es como ignorar las cartas que tenemos en nuestro juego. Conocerlos no nos asegura la victoria, pero al destino no le deja más que un papel: el de barajar las cartas.

4

Comer para no seguir siendo dependiente

La noción de dependencia es intrínseca a la humanidad. Los bebés humanos se hallan entre los más dependientes de todas las especies animales. La duración de la dependencia de los bebés humanos respecto a sus padres constituye, por otra parte, el corolario de la superioridad de su desarrollo entre los mamíferos. El hecho de que su cerebro siga desarrollándose después del nacimiento posibilita un número considerable de nuevas adquisiciones y que no funcione solamente sobre lo innato. El estado de dependencia respecto a los demás, en especial de los padres, que pasan a ser indispensables debido a la falta de autonomía del niño, es el marco que permite estas adquisiciones.

Este vínculo de dependencia respecto a los padres se desmorona cuando ya no es tan necesario. Entonces se traslada a otras personas, en especial a los amigos o al ser amado, durante un tiempo más o menos largo. Pero los padres también pueden ser dependientes respecto a sus hijos. En efecto, a algunos les cuesta mucho vivir sin ellos y su salida del hogar les produce un desgarro.

Mireille, de sesenta y cinco años de edad, nos decía: «He dedicado mi vida a criar a mis seis hijos. Cuando el último dejó la casa, me sentí inútil. Venían a verme, claro está, pero el resto del tiempo los echaba en falta. Me aguantaba las ganas de llamarlos para no importunarlos. Mi marido y yo decidimos aprovechar nuestro tiempo libre efectuando diferentes salidas o viajando, pero eso era insuficiente para colmar mi carencia. Después de que el último se marchara fue cuando comencé a comer más de lo necesario. Siempre tuve buen apetito, pero habitualmente no picaba entre las comidas. Yo, que tan sólo pensaba en las comidas para decidir lo que iba a prepararles a los chicos, ya no me reconocía a mí misma, de tan obsesionada que estaba por la comida. Mis pensamientos se parecían a las reservas de las tiendas de alimentación».

Depender de los alimentos para dejar de sufrir

Los humanos también pueden tener dependencia de sustancias con un fuerte poder toxicomaníaco, como el tabaco, el alcohol, el cannabis y el café, o bien de actividades como el deporte o el trabajo. La dependencia a los alimentos o al acto de comer forma parte de este conjunto de dependencias y no se trata de la más rara. Los alimentos, como el alcohol y el tabaco, son productos fácilmente accesibles. Enseguida producen bienestar y su ingesta puede cuantificarse, la cantidad, lo que proporciona una ilusión de control.

Ahora bien, existe otra forma de dependencia que no puede cuantificarse. Es la dependencia a los individuos, en especial en el marco de las relaciones amorosas, cuyo origen, como ya hemos visto antes, se remonta a los primeros vínculos del afecto. Este carácter no controlable de las dependencias interhumanas puede dar miedo. El otro puede hacernos sufrir al no estar tan presente como sería de desear. A muchos individuos les da miedo la manipulación. En cambio, un producto, a diferencia de los seres humanos y los sentimientos, siempre está disponible y puede controlarse con más facilidad. Éste es el motivo de que muchos prefieran depender de los alimentos y no de las personas, sobre todo después de haber sufrido una separación, bien sea en la infancia o en la edad adulta.

Probablemente existen factores genéticos que hacen que un individuo sea más o menos sensible a la dependencia, bien sea a los alimentos o a otros productos. Pero a menudo también hay que tener en consideración los factores del desarrollo psicológico. Como, por ejemplo, el haber evolucionado en la infancia rodeado de un clima de inseguridad afectiva, con un progenitor sobreprotector cuya presencia o ausencia eran imprevisibles para el niño. O el hecho de haber crecido junto a un progenitor sobreprotector que no soportaba estar separado de su hijo, y que, de hecho, le impedía forjarse la capacidad de soportar la frustración que provoca la ausencia también favorece los comportamientos de dependencia en la adolescencia, cuando se hace indispensable tomar distancia respecto a los padres (especialmente debido a la amenaza que suponen las relaciones incestuosas).

Sarah nos cuenta: «Empecé a engordar en la adolescencia. Me volví verdaderamente dependiente de los alimentos, en particular de los azucarados. Siempre tenía que llevar alguno encima. Me daba miedo que me faltaran. Los almacenaba en mi habitación, como si fuera a quedarme sin ellos. Cuando me iba a dormir con mis amigas, tenía miedo de tener hambre y siempre me llevaba galletas por si acaso. Asimismo, los almacenaba en mi cuerpo comiendo más de lo que me pedía el hambre, como si más tarde me fueran a faltar y tuviera que almacenarlos, no fuera a ser que... En cada comida, tragaba como si el hambre me acechara a la vuelta de la esquina...»

La toxicomanía de los alimentos

Si se puede hablar de la toxicomanía de los alimentos, es porque hoy sabemos que son productos que crean verdadera adicción. Hay toxicomanías de los alimentos tal como existen respecto a otros productos. Por otra parte, las hormonas que regulan el apetito también están implicadas en los circuitos neurológicos concernidos en los estados de tóxico-dependencia. Así, la grelina, la hormona secretada por el estómago y que abre el apetito, actúa en las zonas cerebrales (es visible gracias a las técnicas de imagen cerebral) e influye sobre las adicciones. En los obesos, al igual que entre los toxicómanos o los alcohólico-dependientes, hay menos receptores de la dopamina, lo que implicaría, si no explicaría, una menor aptitud respecto al placer. Como la ingestión de alimentos provoca una secreción de dopamina como una señal del placer que el individuo ha sentido, si en el sistema se produce una carencia, se necesita aumentar las tomas para estimular con más intensidad los circuitos cerebrales del bienestar. Pero también es posible que la obesidad sea la que provoca una disminución del número de estos receptores.

Un principio que puede remontarse a la infancia

La dependencia a los alimentos puede surgir en la primera infancia e hibernar en el sustrato de las angustias de separación propias de esa edad. Y entonces los alimentos son percibidos como representantes del padre encargado de la alimentación. En efecto, durante los primeros años de su desarrollo, el niño adquiere autonomía en diferentes ámbitos: autonomía motriz, de lenguaje, de pensamiento, etcétera. Pero cada etapa de esta emancipación es susceptible de generar inquietudes que a veces pueden llegar a ser muy fuertes. Los padres así como los adultos encargados de la educación del niño desempeñan un papel fundamental en el modo como éste se defenderá de esos miedos. El amor que le demuestran y el marco educativo que han creado le permitirán construir un espacio de seguridad interior que poco a poco irá reemplazando el ambiente protector que le rodea. Así, se mostrarán tranquilos con él, pero sin ser negligentes; calmados, pero sin ceder a las primeras de cambio; estarán siempre presentes, pero sin ser invasores; cariñosos, sin ser voraces; vigilantes, sin angustiarse en cada momento o en cada pequeña separación (al ir a la escuela, a la hora de acostarse, si van a pasar un fin de semana en casa de los abuelos, etcétera); previsibles, sin ser rígidos, y protectores, sin ser herméticos.

Pero pocas veces la educación recibida es algo ideal. Y el niño puede enfrentarse a su padres, o a otras personas encargadas de su educación, porque se muestran fríos, indiferentes, deprimidos, malévolos, burlones, imprevisibles en sus comportamientos, ansiosos e incoherentes en sus conductas, o ausentes, mezquinos o agobiantes. Todas estas actitudes pueden crear un sentimiento permanente de inseguridad interna en el niño, y más aún si éste tiene un temperamento sensible. Y entonces para él el hecho de refugiarse en los alimentos se convierte en un sistema de reaseguro, que le calma, le alivia, y le aporta la dulzura y el bienestar que le faltan. El vínculo con los alimentos le parece más fiable, más sólido y sobre todo más fácil de controlar que el que mantiene con los adultos. Al verse incapaz de construirse un mundo interior en el que pueda sentirse seguro, el niño opta por meterse en la boca los alimentos, que él identifica con los representantes paternos. Tal como los veía cuando lo alimentaban cuando era un bebé, cuando para él la leche que tomaba y la persona que se la daba eran casi una misma cosa. Así, depender de la alimentación le permite mantener su autonomía y depender menos de unos adultos que le dan poca seguridad, creando, paradójicamente, un principio de independencia respecto a estos últimos.

Pero ¡cuidado!, eso no significa que todas las obesidades de la infancia estén relacionadas con las distorsiones educativas. Tan sólo se trata de posibles factores que causan o favorecen las dependencias alimentarias.

El adolescente, un blanco fácil

Pero el período de la vida más propicio para el establecimiento de una toxicomanía en general, y de la toxicomanía alimentaria en particular, es la adolescencia. Como ya hemos dicho antes, eso no sólo es debido a las remodelaciones psicológicas y afectivas propias de esta edad, sino también a que el control por parte del entorno es menos fácil que cuando se trata de un niño de menos edad. Precisemos que la adolescencia se prolonga cada vez más, y que a veces ciertos adultos vuelven a pasar por remodelaciones de tipo adolescente, en especial con ocasión de la adolescencia de sus hijos o de un acontecimiento importante (por ejemplo, la muerte de sus propios padres).

Entre los trastornos que marcan esta edad, está el necesario distanciamiento del adolescente respecto a sus padres. Pero esta necesidad de autonomía intrínseca del adolescente puede ser una fuente de vulnerabilidad. Optar por depender de la comida es un procedimiento para dejar de depender de sus padres. Así pues, por un ansia de libertad, para no seguir estando sometido a la influencia paterna, parental o maternal, vivida como un elemento que limita su emancipación y le mantiene en un estado de infantilismo, el adolescente acabará cayendo en los brazos de la dependencia alimentaria. Para librarse de la tutela del rey y de la reina de su infancia, se entrega a la dictadura barnizada de libertad de esta clase de toxicomanía. Porque, al principio, el adolescente cree que es libre cuando come como quiere, lo que quiere y cuando quiere. Y este modo de despegarse, que cuenta con la ventaja de ser muy fácil (hoy es sumamente fácil conseguir alimentos) y que además proporciona el placer de la regresión, por añadidura supone una transgresión respecto a las reglas alimentarias que imperan en su hogar. Y el placer de la transgresión es un motor importante a esta edad…, hasta que se dé cuenta de que está atrapado por una falsa libertad que bloquea su emancipación.

Porque, a la inversa, el sobrepeso emocional también constituye un medio inconsciente de seguir siendo dependiente de sus padres. En efecto, si el sobrepeso es excesivo, provoca aislamiento social, alimentado por el rechazo de los demás. Sin embargo, el hecho de encerrarse en sí mismo o de asumir el estatuto de víctima del cuerpo social o del conjunto de sus hermanos, podrá reforzar el vínculo de protección y de dependencia entre los padres y el hijo, algo que apreciará, por ejemplo, un adolescente al que le dé miedo pasar a ser autónomo debido a una angustia de separación, o que simplemente quiera conservar los beneficios secundarios de la dependencia afectiva.

Clément es un chico de catorce años de edad. Su madre, Julie, quería una chica que se pareciera a ella. De los tres chicos que tuvo, Clément es el que se le parece más. Julie es una mamá-gallina para él. Se alarma cuando Clément se lanza sobre los bollos que llenan los armarios, pero ella no puede evitar comprarlos: «¡No voy a matar de hambre a mis otros dos hijos!», se justifica. Acomplejado y tímido. Clément se niega a participar en ninguna actividad extraescolar y se queda en el domicilio familiar. «Me pregunto qué hará cuando tenga que vivir solo —dice su madre, inquieta—, ¡es tan poco espabilado…! Tengo que comprarle la ropa, mientras que su hermano menor se la compra solo». Pero estas expresiones de inquietud, si son sinceras, apenas logran enmascarar el profundo deseo de Julie de que Clément permanezca a su lado el mayor tiempo posible.

Volver a ser un bebé

A esta edad, la dependencia alimentaria también se ve facilitada por la necesidad y el placer de la regresión. Los padres de los adolescentes conocen bien estos momentos de regresión. Dicha regresión no sólo se explica por estar enganchado afectivamente al pasado, cuando llega la hora de decir adiós a la infancia, antes de dar el gran salto hacia la edad adulta, sino también por la llamarada del regreso de las pulsiones de la primera infancia, ocasionado por el terremoto psicológico de la pubertad. Si nuestra personalidad fuera una casa, se construiría durante los seis primeros años de vida y luego se mantendría relativamente estable, exceptuando los arreglos interiores, porque el período entre los seis y los once años es rico en adquisiciones de todas clases; en la pubertad, la casa sufriría una remodelación de arriba abajo: derribaríamos tabiques para agrandarla, reharíamos la bodega y el granero, añadiríamos un piso... Eso implicaría revisar y reforzar los cimientos. Eso es lo que explica que, durante los trabajos (por término medio, de dos a tres años para el grueso de la obra), se vuelva a los rasgos arcaicos de la personalidad que corresponden a los cimientos. A menudo esta remodelación resulta útil porque permite rehabilitar estructuras que estaban mal dispuestas y de este modo corregir ciertos trastornos originados en la primera infancia. Ésta es la razón de que la dependencia alimentaria y la obesidad emocional, cuyo origen se remonta a este período, puedan desaparecer con ocasión de las remodelaciones de la adolescencia, ya que en esta etapa tiene lugar la implantación de una nueva personalidad, de un nuevo entorno, de nuevos lazos afectivos, de un nuevo modo de pensar, o de nuevos mecanismos de defensa contra las angustias.

Entre los episodios de regresión, está el del regreso al estadio oral de los dos primeros años, un rebrote del mero placer de mamar, que nos recuerda ese período de nuestra existencia en el que un adulto que nos quería nos metía algo «bueno» en nuestro interior. En la adolescencia, la regresión oral se manifiesta por medio de la necesidad de meterse siempre algo en la boca: el capuchón de un bolígrafo, un porro, el gollete de una botella y por supuesto los alimentos. Quedarse en el placer oral es algo tranquilizador en la adolescencia, ya que es un modo de acceder a un placer que se conoce bien. Así pues, se trata de un placer que desde un punto de vista psicológico es menos amenazador que el placer sexual, que, a pesar de haberse vuelto ciertamente accesible, está plagado de misterios e inquietudes. Asimismo, ceder a las pulsiones orales parece menos peligroso que ceder a las pulsiones agresivas, que a esta edad se ven reactivadas.

¡A comer, a comer!

La impulsividad es otra característica propia de los adolescentes que favorece la hiperfagia. Esta impulsividad recuerda a la del niño entre los dos y los tres años de edad. Ciertos adolescentes siempre han sido impulsivos, por su propia naturaleza o porque la educación recibida no les permitió aprender a tolerar ni las pequeñas ni las grandes frustraciones de la existencia por medio de las palabras adecuadas (los adolescentes a los que se les puede calmar mediante palabras fueron, sin duda, bebés a los que se les solía hablar a menudo). Pero la inmensa mayoría de ellos se vuelven impulsivos en la pubertad, antes de ser capaces de encontrar progresivamente una nueva capacidad para controlar sus pulsiones, tal como la educación les enseñó a hacerlo en la infancia. Su impetuosidad hace que sean menos aptos para aplazar el placer y para soportar las frustraciones. A la menor sensación de hambre, enseguida necesitan calmarla y a veces la respuesta es desproporcionada. Eso es aún más evidente cuando se trata de ciertos adolescentes que, cuando eran niños, veían cómo los demás satisfacían inmediatamente la más ínfima de sus peticiones, en particular si les daban algo de comer o golosinas por el simple hecho de quejarse... y no porque tuvieran hambre.

Comer para no pensar

El adolescente tiene dificultades para controlar sus pensamientos porque éstos se están reestructurando completamente. Su cerebro está en pleno desarrollo y las nuevas conexiones se están implantando. En su mente irrumpen ideas y nuevos conocimientos. El adolescente comprende conceptos que hasta entonces le resultaban indiferentes y que pueden llegar a asustarlo. Su espíritu se ve invadido por nuevos deseos, por diversas fantasías (deseos inconscientes) asociadas con un regreso de las pulsiones, por nuevas ansias que lo desbordan (sexuales o agresivas, por ejemplo), por miedos que se transforman en pesadillas que le afectan aun estando despierto. Eso explica que tenga tendencia a hacer cualquier cosa para no pensar, ya sea estando siempre en acción, consumiendo sustancias tóxicas como el alcohol y el cannabis, que inhiben el pensamiento, o pasando el tiempo comiendo y dormitando durante la digestión.

Comer como actitud

La fobia social es especialmente frecuente en la adolescencia: el contacto con los otros da miedo. En mi opinión, es como un rebrote de la angustia hacia lo extraño característica del bebé hacia el octavo mes de vida. A pesar de haber sido un niño muy sociable, el adolescente que padece esta clase de esta fobia ya no se atreve a hablar en público y le molesta el hecho de dirigirse a un comerciante y a veces hasta hablar por teléfono. En la calle, tiene la impresión de ser el centro de todas las miradas y ve el interés que le prestan los demás como hostil o burlón. En este contexto, comer es un medio de fingir serenidad en presencia de los otros. Es un apoyo y un factor de sosiego. Además, el sobrepeso, una vez adquirido, constituye un pretexto ideal para encerrarse en sí mismo y para quedarse en casa. Y también es un justificante ideal para argumentar sobre la realidad de la hostilidad del entorno.

La bulimia

El término *bulímico* se utiliza excesivamente para designar a una persona que come demasiado y con demasiada frecuencia. En este caso deberíamos hablar de «hiperfagia». La bulimia, en propiedad, es una auténtica enfermedad cuyo tratamiento corresponde a los especialistas. Afecta a los adultos, en especial a las mujeres (la enfermedad se observa en un 2% de la población femenina, y las mujeres representan más del 90% de los casos), y habitualmente aparece a partir de la adolescencia. La bulimia se caracteriza por episodios de ingestas alimentarias ocasionadas por crisis.

La persona aprovecha un momento de soledad para ingerir

una cantidad considerable de alimentos, sin preparación, llegando a tragarse tarrinas de mantequilla o raviolis fríos de la víspera si no ha tenido tiempo de «preparar» su crisis, comprando cosas adaptadas a sus gustos (alimentos que le gustan, pero que habitualmente se prohíbe). Con frecuencia se halla en un estado secundario durante la crisis. Una vez pasada ésta, una de cada dos veces se provoca el vómito y siente un intenso sentimiento de vergüenza y de desesperación. Secundariamente, no es raro que la persona afectada recurra al uso de laxantes, al ayuno ocasional y a la práctica intensiva de deporte para eliminar la sobrecarga calórica.

Aunque estas jóvenes no tengan sobrepeso, no es raro que hayan sido, o todavía lo sean, anoréxicas. Y entonces las crisis se alternan con períodos de severas restricciones calóricas y en parte son consecuencia de estas últimas. Pero sobre todo detrás de este grave trastorno del comportamiento alimentario existen factores psicológicos, especialmente una preocupación por mantener el control sobre uno mismo en todos los ámbitos de la existencia, llevada hasta el exceso, y que conduce a esas situaciones de descontrol que la persona vive con abandono. La bulimia es también un modo de luchar contra un humor depresivo y una dificultad para acceder al placer en general. Por otra parte, para ciertos especialistas, ese brutal vaivén provocado por la ingesta y el rechazo de los alimentos corresponde a un proceso de erotización. Para otros, se trataría del equivalente de una conducta adictiva (toxicomaníaca), en la que el alimento equivaldría a un chute de droga. En cualquier caso, es indudable que existe una búsqueda de sensaciones fuertes y, salvo durante las crisis, una voluntad feroz de controlarse a sí mismo. Es interesante destacar que los antidepresivos que aumentan la tasa de serotonina, un neurotransmisor implicado en los circuitos emocionales, se muestran eficaces sobre la bulimia, reduciendo la frecuencia de las crisis.

Los alimentos como antidepresivos

La adolescencia es un período muy vulnerable en lo relacionado con el humor. En especial son frecuentes los episodios depresivos de duración variable, a veces muy breves pero recurrentes. Toda depresión sobreviene después de una pérdida, bien sea efectiva, simbólica o imaginaria. Pero la adolescencia acumula una serie de adioses, en especial al cuerpo, a las maneras de pensar y a los vínculos afectivos de la infancia. Si una depresión grave, que se prolonga en el tiempo, habitualmente provoca pérdida de peso, en cambio los episodios depresivos pueden originar hiperfagia, principalmente por causa de los mecanismos que luchan contra esa depresión incipiente. Entonces intervienen varios mecanismos posibles, relacionados con los síntomas de la depresión del adolescente: cansancio, regresión, impulsividad, vacío interior y ansiedad. Veamos de qué modo cada uno de estos cinco síntomas de la depresión puede favorecer un aumento de peso:

–   La lucha contra el cansancio físico y moral dará lugar a un aumento del aporte calórico con el fin de recuperar una cierta energía.

–   La depresión induce un estado de regresión. Porque una vuelta a los estadios anteriores del desarrollo ocasiona un menor gasto energético, lo que es útil en este período de «hibernación», de descanso psíquico indispensable para recargarse frente al estrés que supone la depresión. Pero anteriormente ya vimos que la regresión favorecía la dependencia alimentaria en ciertos aspectos.

–   La impulsividad y el paso a la acción representan otro bloqueo contra la depresión característico de la adolescencia, para hacer lo contrario y luchar contra la pasividad y la ralentización inherentes al humor neurasténico. No obstante, si la impulsividad llega a expresarse a través de accesos de agresividad, puede incidir en el comportamiento alimentario, que entonces puede llegar a provocar episodios de bulimia.

- Un individuo que padece depresión ha modificado su modo de pensar. Es frecuente que note un sentimiento de vacío interior debido a una ralentización cognoscitiva, a una memoria menos activa y a una parálisis emocional. El cerebro funciona a marcha lenta, lo que da la impresión de que todo les interesa menos. Tanto la cabeza como el corazón están en perpetua hibernación. Y entonces el recurso a los alimentos es una búsqueda de bienestar muy sencilla, en vistas a compensar no sólo la desaparición del placer que proporcionaban el pensamiento y lo imaginario, hoy paralizados, sino también la creciente indiferencia hacia actividades que, antes de caer en la depresión, eran fuente de bienestar. Al comer abundantemente, el adolescente busca sensaciones fisiológicas para intentar compensar el descenso de su sensorialidad y de sus sentimientos emocionales. Como todas las cosas le gustan menos (en particular, los alimentos), en consecuencia busca sensaciones fuertes aumentando sus ingestas alimentarias.

- Por último, añadiremos que, casi una vez de cada dos, la depresión incipiente está asociada con la ansiedad. Por otra parte, es frecuente que los adolescentes sientan angustia sin que por ello padezcan depresión. Dicha angustia puede recaer sobre diferentes objetos: miedo por la muerte de sus allegados, a envejecer, a estar solo, a no ser normal, etcétera. Pero a veces es como si la angustia se mantuviera flotante, sin motivo. Y puede eclosionar de forma violenta, o bien quedarse permanentemente en el fondo, como un sentimiento de inquietud vago pero tenaz. Perturba el sueño, la reflexión y tiende a manifestarse físicamente (palpitaciones, sudores, dificultades respiratorias, dolores abdominales). Y entonces el hecho de ingerir alimentos es un modo corriente de responder a dicha ansiedad debido al apaciguamiento fisiológico y psicológico que conlleva.

Para concluir, ya hemos visto que la dependencia alimentaria puede reaparecer o reforzarse en la adolescencia, favorecida por diferentes factores psicológicos vinculados a las remodelaciones de este período: necesidad de emancipación, impulsividad, regresión, miedo hacia los otros, pensamientos molestos, depresión y ansiedad. Las adicciones alimentarias que afectan al adulto pueden remontarse a la infancia o a la adolescencia. Porque aunque las remodelaciones de la pubertad sean provisionales, las dependencias alimentarias pueden convertirse en duraderas. Por último, estos diferentes factores pueden también ser importantes en la edad adulta, cuando se producen acontecimientos que llevan consigo reajustes psicológicos, por ejemplo, con motivo de un divorcio, de un duelo o del nacimiento de un hijo. Volveremos a hablar de este tema más adelante.

5

El embarazo y la menopausia

Los kilos del embarazo

Entre los acontecimientos de la vida, hay uno cuyo impacto sobre el sobrepeso emocional es posiblemente tan importante como la adolescencia. Se trata del embarazo.

Engordar durante el embarazo es una buena señal…, sobre todo para el futuro bebé. Pero no es necesario engordar demasiado. Y para muchas de las nuevas mamás, perder esos kilos se convierte en una verdadera preocupación. No obstante, no sólo se trata de un tema de régimen, sino también de emociones inéditas.

Durante el primer trimestre, se ganan uno o dos kilos. Es un período en el que se suele tener menos hambre (especialmente debido a las náuseas). En cambio, en el segundo trimestre, los famosos «antojos» de la mujer embarazada hacen buenas migas con los atracones. Lo ideal es un aumento de peso de unos seis kilos: dos para el feto y cuatro para que la madre tenga reservas para poder amamantarlo. Luego, en el tercer trimestre, se suele engordar un kilo al mes. Lo que suma entre nueve y trece kilos por término medio: casi seis kilos para él bebé y sus diversas capas, dos kilos de retención de agua, un aumento de un litro de sangre o más y el resto en calidad de reservas para la mujer. Unas reservas que no se utilizan y que, después del parto, serán excedentarias.

Camille, de veintiséis años, madre del pequeño Théo, de seis meses de edad, pesaba setenta kilos antes del embarazo, y medía un metro sesenta y cinco. Al final del embarazo, pesaba ochenta y seis kilos. Hoy, su peso es de ochenta kilos. Pero no logra perder los kilos superfluos, a pesar del régimen.

Los diversos factores emocionales y psicológicos (regreso al pasado, estrés, relajación moral, etcétera) están relacionados con el aumento de kilos superfluos a lo largo del embarazo, pero también con la dificultad para perderlos después del parto. Y en este período tan singular de la existencia, en el que se es madre por primera vez, son frecuentes las transformaciones emocionales. Porque cada embarazo posee su propio impacto.

El conjunto de las reestructuraciones psicológicas hace que la mujer embarazada no sea una mujer como las demás. Está sujeta a las fluctuaciones de su inconsciente alimentadas por las historias de cuando era niña. Los sueños de una mujer embarazada nos aclaran qué clase de niña era, y qué tipo de relaciones había entre ella y las personas que la criaron. Ello explica la aparición de comportamientos regresivos con una vuelta a modalidades de satisfacción muy relacionadas con la ingesta de alimentos. Algunas veces, estos regresos al pasado acabarán generando ansiedad o tristeza, que a su vez influirán en el comportamiento alimentario.

Mucho más conscientemente, el estrés causado por un embarazo difícil tiende a agravar el aumento de peso.

Algunas veces, una mujer que hasta entonces controlaba su apetito puede sacar provecho de su estatuto de mujer encinta para permitirse traspasar los límites que ella misma se había impuesto, o que le habían sido impuestos más o menos implícitamente por su entorno, y dar rienda suelta a sus apetencias glotonas, las cuales, después de haber estado limitadas durante tanto tiempo, se vuelven exageradas.

Ciertas mujeres se convierten antes de tiempo en madres fuente de alimentación y, por miedo a que a su niño le falte lo necesario, comen por dos...

Para otras, el embarazo es un período muy duro. Se trata a veces de aquellas mujeres que dudaron mucho antes de aceptar quedarse embarazadas. Tienen el sentimiento de estar desposeídas de su cuerpo; de no controlar sus variaciones físicas; de estar sometidas al deseo de ese futuro ser que crece dentro de ellas; de que el control de sí mismas está amenazado desde su interior. Entonces, el hecho de comer constituye para ellas una manera de intentar retomar el control del curso de las cosas y, de modo ilusorio, de ser ellas las que mandan sobre su aumento de peso y sobre el volumen de su cuerpo embarazado.

Las imágenes de la maternidad

Convertirse en madre modifica la imagen que la mujer tiene de sí. Las preocupaciones ya no son las mismas, ni las prioridades tampoco. La mujer ya no vive su feminidad del mismo modo. Se identifica con nuevas imágenes. Algunas tienen, en el fondo de su ser, una imagen «redondeada» de la madre. Comúnmente, esta asociación entre la redondez y la maternidad se ve compartida y existe en muchas culturas. Se remonta a los siglos en los que las redondeces eran signo de buena salud y en los que la madre alimentaba al niño a partir de sus reservas personales. Muchas de las mujeres de hoy en día, sin importar si su madre o su nodriza estuvieran rechonchas o no, tienen este arquetipo en la memoria y están influidas por él en la nueva imagen que tienen de sí mismas cuando pasan a ser madres. Algunas mujeres se sienten entonces verdaderamente mujeres, como si antes tan sólo fueran «hijas de», independientemente de su edad. Para ellas, de forma inconsciente, la feminidad no está vinculada a la coquetería de la delgadez, sino que está completamente relacionada con las formas generosas. Otras pierden todo su espíritu de seducción, como si el hecho de ser madre y mujer con deseos no fuera compatible. ¿Quizá se deba a que su madre no tenía un hombre a su lado (era un mujer divorciada consagrada a sus niños), o bien a que su madre descuidaba demasiado a su marido por causa de sus hijos?

Cuando el corazón ya no manda

Después del parto, hay otras causas emocionales que explican los aumentos de peso.

El estado de melancolía que se produce después de un embarazo de cada dos se atribuye a las drásticas modificaciones hormonales. Sin duda, esta melancolía también se debe a la pena de dejar atrás ese estado de completitud que experimentan muchas mujeres embarazadas, así como al hecho de que tienen que enfrentarse con la realidad de su hijo, el cual, evidentemente, no se parece al niño que imaginaban durante el embarazo.

Mucho más grave que la melancolía subsiguiente al embarazo, y que sólo dura algunos días, es la depresión posparto, que atestigua una dificultad para renunciar al estado de embarazo en el que tan bien se estaba. Pero también para asumir el nuevo estatuto de madre. Sobre todo cuando se tiene el sentimiento de que nadie te ayuda, de que eres menos deseable o de que ya no interesas a ninguna persona, lo que irá en detrimento del bebé. En todo ello intervienen unas causas muy profundas, como las dificultades afectivas de la madre cuando ella misma era un bebé recién nacido. Puede tratarse, por ejemplo, de carencias afectivas o de interacciones perturbadas con su propia madre o su nodriza. La depresión no siempre sobreviene inmediatamente después de dar a luz. Si aparece en el curso del primer año que sigue al parto, es cuando puede hablarse de «depresión posparto». ¡Pero según los criterios utilizados para definir el estado depresivo, puede llegar a afectar hasta al 20% de las mujeres que han dado a luz! Y toda depresión, sea cual sea su intensidad, puede ocasionar aumentos de peso.

El temor a reanudar la actividad sexual también explica el sobrepeso emocional: los kilos desempeñan entonces un papel de contrapunto para aquellas mujeres que no logran asociar, en el campo de su identidad afectiva, su papel de esposa y de madre, o que ya no sienten deseo por un hombre que se ha convertido en padre. Las quejas maritales, por muy legítimas que sean, sólo servirán para reforzar una culpabilidad que es fuente de kilos de más.

El impacto de los falsos embarazos

Cuando el embarazo no llega a término, y cuando la mujer sufre un falso embarazo, es posible que se produzca un aumento de peso emocional, relacionado con el dolor que se ha sentido, sobre todo si a la mujer no se la ha reconocido ni tratado. Esos embarazos malogrados pudieron serlo involuntariamente (aborto espontáneo, muerte in útero), pero también voluntariamente (interrupción voluntaria del embarazo, interrupción médica del embarazo…). Pero, hasta cuando es voluntario y se ha asumido, puede suceder que la interrupción del embarazo constituya también un factor de sufrimiento psíquico[1].

---

1. Véase Stéphane Clerget, *Quel âge aurait-il aujourd'hui?* Fayard, 2007.

Después de un embarazo malogrado, la mujer puede padecer humor depresivo, estado de estrés postraumático y sentimiento de culpabilidad, cólera, negatividad y tristeza, los cuales
pueden dar lugar a un aumento de peso. Después de ciertos fal-
sos embarazos traumáticos, cuando la pérdida del feto no es re-
conocida por el entorno, es como si el niño continuara gestán-
dose en la psique de la mujer que lo llevaba en su seno y que
secretamente no ha renunciado a ser su madre. Así, Éliane, un
año después, no ha logrado perder los tres kilos que ganó al
principio de su embarazo, que se vio interrumpido por un aborto espontáneo.

El caso de Ghislaine, de treinta y cuatro años, es más impre-
sionante. Cuando cumplió veinticinco años, aumentó veintisiete kilos, a pesar de que nunca había padecido sobrepeso y de que
no tenía ningún antecedente familiar de obesidad. Veintisiete
kilos, el peso de un niño de nueve años de edad. Y es que Ghislaine tuvo un falso embarazo nueve años atrás, y todavía llora
por ello cuando alguien le habla del tema y se muestra empático
con ella. Pero lo más asombroso es que el ritmo de su aumento
de peso, es decir, el número de kilos que aumentaba cada año, se
correspondía claramente con el del crecimiento de un niño.

La menopausia emocional

La menopausia, que habitualmente aparece entre los cuarenta y
cinco y los cincuenta y cinco años, es otro acontecimiento vital
de gran importancia en la existencia de la mujer. Debido a las
modificaciones hormonales sobreviene un aumento de peso sin
que el apetito se modifique —en realidad, sobre todo se trata
de una nueva distribución de la grasa—. En la perimenopausia (de
tres a cinco años antes de la menopausia), la producción de es-

trógenos es irregular, a veces es excesivo, lo que se traduce en un aumento de grasa y de retención de agua. En la menopausia, los estrógenos dejan de actuar, y el cuerpo se transforma bajo la influencia de los derivados de la testosterona secretada por las suprarrenales. Entonces la grasa deja de concentrarse en los pechos y en los miembros y tiende a situarse en el vientre y los hombros. Durante la menopausia, el frecuente descenso de secreción de hormonas tiroideas (hipotiroidismo) constituye otra causa de sobrecarga de grasa.

Existen tratamientos hormonales sustitutivos que pueden compensar estas modificaciones. Pero el hecho de que se produzca un ligero aumento de peso (entre dos y cuatro kilos) no debe ser considerado demasiado negativo por parte de las mujeres que lo experimentan. Estadísticamente, en general estas mujeres viven más tiempo que aquellas que no engordan un poco, y que las que adelgazan o ganan demasiado peso. En las células grasas es donde la testosterona de las suprarrenales se transforma en estrógenos, lo que compensa en parte su descenso relacionado con la menopausia.

Cuando se produce un aumento de peso, sería erróneo atribuir toda la responsabilidad de este hecho a los cambios fisiológicos. También hay que tener en cuenta los factores emocionales, además de las emociones provocadas por las hormonas. Aunque ciertos profesionales lo discutan, el período que rodea a la menopausia aparece como un momento de extrema vulnerabilidad en el plano emotivo. Con mucha frecuencia las mujeres nos hablan de sus cambios de humor, de su irritabilidad, de su tendencia a llorar por cualquier nimiedad, de la angustia difuminada que padecen sin razón aparente o de su falta de ánimo.

Algunas mujeres, sobre todo las más apegadas a las costumbres, se sienten un poco perdidas cuando los ritmos que hasta entonces regían su existencia, dedicada especialmente a la educación de sus hijos, dejan de funcionar. Esta pérdida de puntos de referencia puede desorientarlas y empujarlas a alimentarse, como si con ello tuvieran más peso frente a una existencia que les parece inestable.

La aparición de malestares físicos poco definidos, de ciertos dolores, especialmente en los pechos, también invita a buscar consuelo en la comida.

La sequedad de las mucosas que hace que las relaciones íntimas se vuelvan dolorosas, el sentimiento de ser menos deseable y el descenso de la libido tendrán como consecuencia una disminución de las relaciones sexuales. Este freno de las pulsiones genitales puede provocar, por medio de un mecanismo de desplazamiento, un aumento de los modos orales de satisfacción, en especial los relacionados con el placer de comer.

Para muchas mujeres la menopausia es como un duelo. El de la maternidad, por supuesto, y el de la juventud porque en este período de la vida el envejecimiento del cuerpo experimenta una brusca aceleración: la piel se vuelve menos flexible, los cabellos más apagados y las uñas más quebradizas. Pero en esta etapa muchas veces también dicen adiós a su feminidad. Y eso es algo que las afecta en lo más hondo de su identidad. Porque, según se cree comúnmente, la feminidad se resume en la capacidad de dar a luz, unida a la belleza de la juventud. Un hombre se sigue sintiendo hombre cuando envejece y aunque a sus espermatozoides les cueste tanto ponerse en movimiento como a él mismo. Entonces, ¿por qué a las mujeres se las ve de otra manera? Este triple duelo va acompañado de ansiedad y de humor depresivo, que, cómo veremos más adelante, son grandes suministradores de kilos emocionales. Según ciertos estudios, en la menopausia el riesgo de padecer depresión estaría multiplicado por cuatro. Tanto si dicho riesgo está relacionado o no con uno de estos duelos o si únicamente se debe a factores hormonales, lo cierto es que existe un claro vínculo entre el transcurso de la menopausia y la aparición de una depresión.

Cuando la menopausia se aproxima, es frecuente que aparezcan los trastornos del sueño. Dichos trastornos provocan cansancio físico y moral e irritabilidad, y empeoran los trastornos del humor. En consecuencia, mueven a comer más como un medio de luchar contra estos síntomas.

Afortunadamente, este período de la vida tiene también su lado bueno. La educación de los hijos llega a su fin, lo que deja tiempo libre. En el plano profesional, se llega a la edad en la que asumen funciones interesantes. En la vertiente familiar, es cuando verdaderamente nos distanciamos de nuestros padres y nos liberamos de los frenos de la infancia. Por último, con frecuencia la experiencia acumulada nos permite ser más sabios y tener una visión de la vida que va más allá de las apariencias. Este mayor bienestar tiene un impacto positivo sobre las emociones y, en consecuencia, sobre el peso.

Como ya hemos visto anteriormente, a lo largo de nuestra vida, en la relación emocional que mantenemos con nuestro peso estamos en una encrucijada de múltiples influencias. Algunas de ellas parecen inevitables, como, por ejemplo, la menopausia. Sin embargo, hay medios para combatirlas médicamente por medio de tratamientos sustitutivos y psicológicos. Asimismo, como la educación recibida no es una fatalidad, es posible mostrarse resiliente. El individuo puede luchar contra la apariencia de su destino y contra la apariencia que el destino parece haberle impuesto.

6

Todo lo que influye en nuestras emociones

Los medicamentos

Un cierto número de medicamentos actúan sobre nuestras emociones interviniendo directamente sobre el sistema nervioso central o sobre el sistema hormonal. Eso es algo que debe tener en cuenta en su programa para mejorar su figura.

Los tranquilizantes (o ansiolíticos) actúan sobre la ansiedad. En su inmensa mayoría son benzodiacepinas. Especialmente, son muy eficaces para tratar la angustia que incita a comer. Pero provocan somnolencia y pasividad, y su utilización comporta riesgo de dependencia. Cuando se dejan de tomar, la ansiedad puede volver a aparecer.

Los neurolépticos son los medicamentos más susceptibles de provocar que el individuo engorde. Se prescriben en caso de trastornos graves de la personalidad y para episodios de delirio, pero también algunos se recetan como reguladores del humor o para trastornos de ansiedad muy intensos. En el plano emocional, provocan indiferencia afectiva, sedación y a veces estado depresivo.

Los antidepresivos también actúan en la esfera de la ansiedad. Si su estado depresivo le impulsa a comer, estos fármacos limitarán esta tendencia. Asimismo, actúan positivamente respecto a la inmensa mayoría de las obsesiones y las compulsiones alimentarias. Reducen los accesos bulímicos. Pero algunos de ellos provocan un aumento de peso (afortunadamente reversible cuando se interrumpe el tratamiento) que contrarresta su efecto beneficioso. Entre otros efectos perniciosos posibles, cabe destacar la angustia, el nerviosismo, la indiferencia afectiva, la agitación y un estado de euforia acompañado de pérdida de la moderación.

Los corticoides, indicados para diferentes enfermedades que provocan inflamaciones, tienen fama de hacer engordar. Pero la cosa no es tan sencilla. Tomados durante mucho tiempo, provocan una sobrecarga de agua y una redistribución de las grasas a nivel de la nuca y del abdomen, pero no sobre los muslos y nalgas. Sin embargo, desde las primeras tomas, actúan sobre el humor y tienen el efecto de anular las inhibiciones y, cuando se toman en dosis altas, de provocar euforia. Este efecto puede contribuir a que la persona tome iniciativas, a que «salga» de sí misma y a una cierta liberación del sobrepeso emocional. En cambio, la euforia puede favorecer las actitudes desenfrenadas y los excesos alimentarios.

Los medicamentos para subir la tensión también tienen un ligero efecto saciante, así como ciertas medicinas contra el asma. Asimismo, pueden provocar nerviosismo.

Los medicamentos correctores de las enfermedades hormonales actúan también sobre las emociones a través de las hormonas. Éste es el caso de los sustitutos hormonales que toman las mujeres durante la menopausia, o de las hormonas tiroideas en caso de insuficiencia de la glándula tiroidea. Los primeros favorecen una distribución de las grasas denominada «ginoide» (muslos, nalgas, pechos) —mientras que la menopausia provoca una nueva distribución llamada «androide» (grasa sobre el abdomen)— y a menudo tienen un efecto positivo sobre la moral. Por su parte, las hormonas tiroideas de sustitución luchan contra el aumento de peso debido al hipotiroidismo, pero provocan ansiedad si se dosifican en exceso (son hormonas muy difíciles de equilibrar). Estos diferentes efectos son reversibles cuando se interrumpe el tratamiento, pero los extractos tiroideos están prohibidos en la pauta de la dieta debido a sus efectos secundarios.

Los medicamentos que luchan contra la enfermedad de Parkinson pueden provocar un estado depresivo, agresividad o agitación hipomaniática (euforia, liberación de las inhibiciones).

Muchos de los medicamentos que hoy se prescriben para adelgazar tienen también un impacto emocional.

En principio, el topiramato (Topamax) es un medicamento antiepiléptico que previene las convulsiones. Hoy se prescribe para limitar los comportamientos compulsivos y en especial las compulsiones hiperfágicas. Pero puede provocar somnolencia y disminuir la capacidad de reacción. Actúa como un regulador del humor.

Los fármacos Depamide, Depakine o el ácido valproico se utilizan con el mismo objetivo y tienen parecidos efectos secundarios. Se sabe que el ácido valproico también puede provocar directamente un aumento de peso.

Esta lista no es exhaustiva. Lo que significa que es importante consultar al médico respecto a los posibles efectos, sobre la psique o las emociones, del conjunto de los medicamentos que se toman, a veces desde hace tiempo y de manera habitual.

Los alimentos

Las emociones actúan sobre el comportamiento alimentario, sobre la elección de los alimentos que se consumen y sobre el almacenamiento de las grasas. Y a la inversa, los alimentos, por su composición química, también actúan sobre las emociones. Así, para intervenir en su sobrepeso emocional, también tiene que estar atento al contenido de su plato.

Las proteínas son indispensables para la fabricación de los neurotransmisores del cerebro, que son el carburante de nuestras emociones,

La sal, bien utilizada como condimento, o bien la que se halla en los embutidos, las galletas de aperitivo, los platos elaborados, o ciertas aguas minerales, es indispensable para un buen equilibrio del «medio interior». Pero una alimentación demasiado rica en sal a menudo va unida a un aumento de la tensión arterial, que a su vez tiene un impacto emocional emparentado con un humor depresivo que no deja traslucir la tristeza.

El magnesio está muy presente en las verduras y los frutos secos, el chocolate o el marisco. Y la carencia de este elemento da lugar a trastornos de ansiedad.

El hierro se encuentra en abundancia en las carnes (sobre todo en las rojas), la casquería, los huevos (en la yema), el chocolate, el vino, las frutas y las legumbres. La falta de hierro no es algo raro, sobre todo entre las mujeres y en especial por causa de la regla porque el hierro está almacenado en la sangre. Su carencia provoca anemia, que a su vez constituye el origen de un estado de humor taciturno y de un abatimiento moral y físico.

El calcio se halla contenido en abundancia en los quesos, los productos lácteos, los frutos secos (almendras, avellanas), la sémola integral, el perejil, los nabos y el germen de trigo. Es un regulador del sistema nervioso y del ritmo cardíaco.

El fósforo está muy presente en los productos lácteos, la carne, el pescado, los huevos, las judías blancas, el pan integral, los guisantes y los frutos secos. También es indispensable para el buen funcionamiento de las células nerviosas.

La vitamina B_{12} se halla en el germen de trigo, la levadura de cerveza, el hígado, las carnes rojas, los pescados, los mariscos, los cereales completos y la yema de huevo. Su carencia origina anemia y, por tanto, un descenso del régimen emocional.

La vitamina C favorece la síntesis de las catecolaminas, las cuales son importantes para combatir el estrés. Permite, pues, reforzar el tono y enfrentarse mejor al cansancio. Está presente en las frutas y verduras. No obstante, al ser muy frágil, el calor de la cocción la destruye enseguida.

La vitamina B_6 participa en la síntesis de los neurotransmisores (adrenalina, serotonina, etcétera). Así pues, su carencia da lugar a una menor capacidad para resistir el estrés y favorece que el individuo ceda ante este último por medio de toda clase de emociones negativas. Se encuentra abundantemente en la levadura y el germen de trigo. Asimismo, está presente en la carne, el pescado, el hígado y los riñones. En cambio, las frutas y verduras, así como el pan y los cereales, contienen poca vitamina B_6.

El ácido omega 3 es conocido por ser un agente equilibrador del sistema nervioso central. Actúa positivamente sobre el humor y refuerza la resistencia al estrés. Sus fuentes naturales son los aceites de nuez, de colza y de lino, el salmón y el atún, los berros, la col y las espinacas.

La cafeína, que está presente en el café, el té y el chocolate, es un estimulante. En exceso, favorece el estrés, pero en dosis adecuadas tiene un efecto beneficioso sobre el humor.

La soja es rica en fitoestrógenos, sustancias vegetales de estructura análoga a los estrógenos. Entre las grandes consumidoras de soja, los fitoestrógenos tienen efectos comparables a los de las hormonas femeninas. Ésta es la razón de que la leche de soja esté desaconsejada para los lactantes, ya que podría provocarles hipotiroidismo.

La lactorfina, presente en la leche de vaca, ejerce una acción positiva sobre el sentimiento de bienestar.

El chocolate es conocido por sus virtudes antidepresivas, estimulantes y euforizantes.

La serotonina es un neuromediador que calma la ansiedad. La carencia de serotonina provoca, especialmente, trastornos del sueño, que se hallan en el origen del sobrepeso emocional y favorecen la compulsión alimentaria. La serotonina está elaborada a base de triptófano. Este aminoácido se encuentra en la leche, los huevos, el chocolate y las frutas (en particular en el coco y en los productos a base de cereales).

La tiramina es un compuesto altamente psicoestimulador, que favorece el dinamismo, eleva el tono físico y moral y actúa como un tentempié. En exceso, puede provocar agresividad. Se encuentra en abundancia en la carne (vaca y aves de corral), el pescado, los productos fermentados como el queso y en ciertas frutas (plátano, coco, aguacate, higos y cacahuetes), así como en los productos derivados de la soja.

Las feniletilaminas son neurotransmisores del cerebro que el organismo sintetiza (en especial cuando se está enamorado), pero que existen también en algunos alimentos, como el chocolate, los quesos o el vino tinto. Tienen efectos psicoactivos. Al ser euforizantes, actúan contra el humor depresivo. En dosis demasiado altas, provocan nerviosismo.

También hay otros alimentos que poseen virtudes emocionales. Por ejemplo, se considera que las alcachofas, la calabaza o las cebollas son tónicos sexuales. Algunas especias como la canela y el jengibre estimulan la circulación de la sangre y avivan indirectamente diferentes emociones, en particular el sentimiento amoroso. Otras especias como la pimienta, el azafrán, la nuez moscada y la guindilla estimulan el deseo sexual.

Naturalmente, esta lista no es exhaustiva. Gracias a su composición química, los alimentos actúan sobre nuestras emociones. Asimismo, el régimen, por medio de las modificaciones cualitativas que induce, tiene un impacto emocional que puede variar. Pero también tiene un impacto emocional con independencia de dichas modificaciones, según sea más o menos restrictivo.

El impacto emocional de los regímenes

Un régimen mal equilibrado —y hay muchos de esta clase— comporta carencias de ciertos nutrientes que, como acabamos de ver, pueden actuar sobre nuestro humor.

Por otro lado, a fuerza de evitar las grasas y los azúcares, dejamos de lado ciertos alimentos que nos gustan y, al hacerlo, nos privamos de una fuente de placer. No sólo nos estamos desvinculando de un bienestar físico (gustativo), sino también moral, ya que los alimentos grasos, y sobre todo los azucarados, están simbólicamente asociados con los buenos recuerdos. Así, Josy no podría prescindir, sin «sufrir» un poco, de las magdalenas que come cada domingo y que le recuerdan a su querida abuela, a cuya casa iba cada fin de semana cuando era niña.

Cuando se sigue un régimen demasiado restrictivo, con frecuencia buscamos en el plano alimentario nuevos sabores que sirvan para matar momentáneamente el hambre y que sean poco calóricos, como contrapartida a los sabores azucarados, que tienen un gran poder energético. Entonces nos decantamos por los sabores ácidos o amargos, como los que tienen los pepinillos o el pomelo. Bebemos mucho, nos olvidamos del placer que proporciona la comida y corremos el riesgo de convertirnos, a semejanza de los nuevos condimentos que ingerimos, en personas ácidas y amargas. Los alimentos que consumimos se contemplan desde una perspectiva puramente contable, es decir, no son más que un número de calorías. A veces, cuando se trata de sustitutivos, de comidas líquidas o de las llamadas barritas «alimentarias», ya ni siquiera parecen alimentos, sino que se limitan a ser nutrientes que responden a nuestras necesidades, pero que no participan en absoluto en la tarea de decorar nuestro interior con imágenes y símbolos humanizadores. Ingerimos constituyentes, es decir, proteínas, vitaminas y sales minerales, como si fueran los elementos que construyen el robot —algo que por definición carece de afectividad— en el que parecería que deseáramos convertirnos. Eso crea una falta de aportación simbólica y, a largo plazo, ofrece una imagen huera de nosotros mismos que favorece un sentimiento de vacío o un estado depresivo.

El régimen aísla

Cuando se sigue un régimen demasiado restrictivo, también nos privamos de la dimensión social de las ingestas alimentarias. Así, renunciamos a las salidas al restaurante, ya no vamos a desayunar con los compañeros a la cafetería de la empresa y hasta a veces nos negamos a aceptar las invitaciones para ir a casa de nuestros amigos. Así pues, esta clase de régimen no sólo constituye un factor de aislamiento social, sino también afectivo, puesto que genera un impacto emocional negativo.

Asimismo, el individuo se aísla mentalmente hasta cuando se trata de pasar el tiempo con la gente de su entorno.

En efecto, cuando se sigue un régimen demasiado exigente, se acaba pensando sólo en eso; es decir, en lo que se puede comer, pero también en lo que no se puede comer, lo cual, en consecuencia, tiende a invadir nuestro espíritu. El tema se vuelve obsesivo y llena nuestras conversaciones y nuestros pensamientos. Nos desvía de otros temas que hasta ese momento podían interesarnos e interesar a los que nos rodean. En consecuencia, poco a poco los otros se van apartando de nosotros y de nuestras obsesiones, lo cual hace que estemos más aislados y reduce tanto el campo de nuestras actividades como de nuestro pensamiento, ya que los demás dejarán de preguntarnos por otros temas que no sean... el del régimen.

El peso del estrés

El estrés engorda porque nos induce a comer. Actúa sobre el comportamiento alimentario incitándonos a consumir alimentos, aun sin tener hambre, con el objetivo de calmarnos. Y a la inversa, saltarnos una comida, o no comer lo suficiente, puede inducir un estado de estrés. Está demostrado que los animales, especialmente las ratas, cuando se las estresa con fines experimentales (se les pellizca la cola), reaccionan comiendo. Pero eso es algo que también les pasa a los seres humanos.

Un estudio realizado sobre una muestra de mujeres reveló que las que habían padecido más estrés habían engordado más durante los cuatro años posteriores, y eso con independencia de otros factores que pudieran influir en el peso. Estos resultados son los mismos cualesquiera que sean los orígenes étnicos, los ingresos y el nivel educativo. Según una encuesta nacional llevada a cabo en Estados Unidos[1], el 31% de las mujeres y el 19% de los hombres declaran que comen para aliviar los efectos del estrés. Y en particular se decantan por los alimentos ricos en

---

1. Realizada aproximadamente entre dos mil adultos de dieciocho años o más por la American Psychological Association en colaboración con el National Women's Health Resource Center e iVillage.com.

azúcares o en grasas. Según parece, esta tendencia a comer es proporcional al grado de estrés, medido a partir del nivel de cansancio, de irritabilidad o de los trastornos del sueño.

Un impacto variable

Una mayoría de individuos se ve empujada, por causa de los pequeños estados de estrés que se repiten en la vida cotidiana, a alimentarse aunque no tengan hambre. En cambio, los estados de estrés muy intensos o que duran demasiado tiempo a veces quitan las ganas de comer. Cuando el estrés impulsa a comer, el efecto es más marcado entre las personas que previamente están débiles, y en particular entre aquellas que siguen un régimen que les puede llegar a «atacar los nervios». Entonces el individuo afectado se decantará por consumir especialmente alimentos «prohibidos», es decir, los grasos o azucarados. Porque el estrés mueve a comer demasiado y sobre todo a comer mal.

Diversos estudios han mostrado que ciertos acontecimientos estresantes aislados —perder la documentación, realizar una exposición de carácter profesional, mantener una entrevista con un superior jerárquico…— modifican puntualmente las costumbres alimentarias. Sometidos a factores de estrés, los individuos comerán menos durante las comidas y se decantarán por colaciones ricas en grasas y azúcares, reduciendo así sus aportaciones de fibra.

El impacto del estrés sobre la alimentación depende de las distintas personalidades. Es especialmente dañino para los comedores emocionales, los cuales optan por ingerir alimentos cada vez que padecen una emoción negativa, y entonces, el consecuente aumento de peso constituirá en sí mismo una fuente suplementaria de estrés. Los hombres y las mujeres parecen reaccionar de modo distinto en función de las diferentes fuentes de estrés. Así, un estudio llevado a cabo en el Reino Unido mostró que una forma de estrés profesional (medido en términos de largas horas de trabajo) haría que las mujeres fueran más susceptibles que los hombres en cuanto a consumir más comidas ricas en grasas y azúcares y a hacer menos ejercicio, lo que se traduce en un aumento de peso. La mayoría de los hombres reaccionarían de otro modo debido a la rutina profesional, la cual posiblemente los protege de otras situaciones que para ellos pueden resultar estresantes, como las dificultades relacionales o los imprevistos personales.

El estrés provoca inmovilidad

El estrés hace engordar porque limita el ejercicio físico. Con frecuencia, las personas estresadas son más sedentarias[1]. Así alivian sus síntomas de estrés a corto plazo, pero a largo plazo pueden tener problemas de salud. El estrés ocasiona un estado de fatiga moral que constituye un factor limitativo de cualquier proyecto de actividad física, excepto en lo referente a aquellas personas que desde muy jóvenes están habituadas a eliminar el estrés haciendo deporte. El estrés a menudo invita a encerrarse en uno mismo, a evitar salir y a quedarse en casa, sobre todo cuando se trata de estrés profesional. Y cuando el estrés provoca un estado de excitación tal que obliga a salir, entonces tampoco puede hablarse de que exista una dedicación a actividades físicas elaboradas, sino una agitación inútil cuyo poder catabólico sobre las grasas es limitado.

---

1. Encuesta citada.

El estrés almacena grasa

Por último y no por ello menos importante, el estrés también hace que se engorde al margen de las modificaciones del comportamiento alimentario. Diversos investigadores anglosajones han demostrado que los ratones estresados sometidos a un régimen hipercalórico aumentan dos veces más de peso que otros ratones estresados que reciben la misma alimentación. En consecuencia, este mayor almacenamiento se debería al estrés. El mecanismo estaría especialmente relacionado con la secreción por parte del sistema nervioso simpático de un neuropéptido que estimula el crecimiento de la masa grasienta abdominal. También se ha constatado que entre los humanos el estrés provoca acumulación de grasa.

En situaciones de estrés, las mujeres secretan más cortisol a través de las glándulas suprarrenales (situadas, como su nombre indica, encima de los riñones). Esta hormona favorece el almacenamiento de las grasas en la cintura abdominal. Pero esta acción difiere según los individuos. Las mujeres con sobrepeso se adaptan más rápidamente que las delgadas, y, en consecuencia, resultan relativamente menos afectadas. Sometidas experimentalmente a la misma dosis de estrés, las mujeres delgadas continuarán secretando cortisol, mientras que las mujeres gruesas dejarán de secretarlo al cabo de unos días. Así pues, el estrés hace que las mujeres delgadas engorden más que las mujeres gruesas.

De hecho, la situación es más compleja de lo que parece: el sobrepeso inducido por el estrés afecta sobre todo a las mujeres que acumulan grasa en el abdomen, mucho más que aquellas que tienden a almacenarla en la pelvis y los muslos. La obesidad que afecta especialmente al abdomen se denomina «androide», porque la mayoría de los hombres acumulan las grasas en esta región. Y denominamos «ginoide» el engorde de las caderas y los muslos. La obesidad androide está especialmente relacionada con el riesgo de padecer enfermedades cardiovasculares. Entre las mujeres menopáusicas, la distribución de las grasas se producirá con mucha frecuencia a nivel del abdomen, debido al descenso de los estrógenos y al relativo predomino de los andrógenos, que en la mujer son secretados por las glándulas suprarrenales. Así pues, para estas mujeres el estrés es especialmente perjudicial en términos de aumento de peso y de riesgo para el corazón.

Pero también parecería que, con independencia de la menopausia, el estrés favorece la distribución abdominal de la grasa. En efecto, un estudio ha mostrado que las mujeres jóvenes cuyo aumento de peso se situaba en la región abdominal habían padecido más estrés crónico que aquellas cuyo aumento de peso se localizaba sobre todo en las caderas.

¡Cuidado con las vacaciones!

Los factores de estrés, cualquiera que sea su naturaleza, no tienen siempre un impacto inmediato. A menudo existe un desfase entre la exposición al estrés y el punto máximo de su impacto. Después de una película de terror con frecuencia es en la noche siguiente, y no siempre durante la película, cuando se producen los síntomas físicos de malestar propios de las personas sensibles (los niños, sobre todo). Y lo mismo sucede con los ataques de pánico que se producen más en un período sin presiones de ningún tipo, y especialmente durante los fines de semana o al principio de las vacaciones, que durante los períodos de estrés profesional.

Existen también ingestas alimentarias ocasionadas por el estrés de la vida cotidiana, en especial el del trabajo, que sobrevienen mayoritariamente en períodos de descanso, cuando «los nervios se aflojan».

Las vacaciones son potenciales fuentes de estrés y, por tanto, contribuyen a modificar las buenas costumbres alimentarias. Eso es lo que sucede con el estrés que precede a una salida vacacional y que los padres de familia numerosa tan bien conocen. Pero también con el estrés que impone que las vacaciones sean un éxito desde una visión perfeccionista de su existencia; cuando se han esperado mucho las vacaciones y cuando a priori justificaban tener que soportar largos períodos de trabajo y la consecuente inversión financiera, entonces los eventuales disgustos relacionados con los problemas de su organización o con los imprevistos pueden ser especialmente estresantes. También cabe mencionar el síndrome posvacacional, que esencialmente afecta a ciertos jóvenes activos que salen poco, pero que sobre todo, como hacen todas las vacaciones de golpe, después tienen dificultades de adaptación para reincorporarse al trabajo y se sienten como si estuvieran entrando en un túnel del que no saldrán en los once meses siguientes.

Aprender a ponerse a cubierto del estrés o a controlarlo es, pues, una etapa indispensable en la lucha contra el sobrepeso emocional.

7

Cómo reducir el estrés

En tanto fuente de primer orden del sobrepeso emocional, el estrés actúa por medio de diferentes mecanismos que ponen en juego las hormonas y los neurotransmisores. Crea modificaciones en el comportamiento alimentario y en la movilidad física, pero también actúa directamente almacenando grasa, es decir, modificando el metabolismo de base.

Estrés bueno y estrés malo

Pero ¿qué queremos decir cuando hablamos de «estrés»? ¿Y cuáles son los medios de disminuirlo? Frente a una situación que al individuo le parece frustrante, amenazadora o irritante, el organismo reacciona para intentar adaptarse. Raros son los que reaccionan con calma, sin impulsividad. Se denomina «estrés» a un conjunto de reacciones físicas, emocionales y conductistas. Estas reacciones de adaptación no están bajo el control de la voluntad; es decir, no se hallan controladas por la corteza cerebral, sino que están bajo el control de regiones cerebrales que no sólo comprenden el cerebro emocional, sino también, y más profundamente aún, las zonas que controlan el sistema vegetativo. Los animales, y en particular los mamíferos, tienen en común con nosotros los humanos una parte de ese sistema de adaptación (los síntomas físicos del estrés) que pone en funcionamiento nuestro «arqueo cerebro»[1].

Gestionar el estrés no significa suprimir sistemáticamente este mecanismo adaptativo, sino no dejar que se ponga en marcha si no está racionalmente justificado. Porque sólo el hombre tiene el poder, gracias a la corteza, de modular sus reacciones emocionales, pulsionales o instintivas. Ahora bien, aunque el estrés, por medio del conjunto de reacciones físicas que le son características, prepare para el combate, no siempre dicho combate es útil. En nuestro mundo humanizado y civilizado, a menudo es más saludable, y socialmente más aceptable, aplazarlo o transformarlo en otra cosa distinta al enfrentamiento físico. Estas reacciones del estrés, que parecen más propias del mundo animal o de los hombres de las cavernas, ya no son tan adecuadas hoy en día (aunque se hable de la «jungla urbana»), sino todo lo contrario: socialmente ofrecen una mala imagen de uno mismo. A menudo pasan a ser superfluas, desventajosas e incluso nefastas. En efecto, es inútil enfurecerse delante de la factura del teléfono, desventajoso quedarse estupefacto por causa de los nervios delante de un superior al que se pretende pedir un aumento de sueldo, y nefasto tener ganas de pegarle a un hijo nuestro porque no puede dormir y nos despierta por la noche. Además, si se repiten, dichas reacciones producen cansancio físico y moral, que altera, especialmente y a largo plazo, el sistema cardiovascular o inmunitario.

---

1. Nuestro cerebro comparte algunos rasgos comunes con los demás mamíferos y tiene otras capas superiores (la corteza) que le son propias e importantes en su desarrollo.

Los signos del estrés

Los signos físicos del estrés son: aumento de la frecuencia cardíaca y respiratoria (para incrementar la oxigenación y ser más eficaz en caso que se tenga que luchar); dilatación de las pupilas (para ver mejor en la oscuridad); mayor vivacidad de reflejos (para ser más reactivo en la batalla o en caso de huida); tensión muscular que provoca temblores; secreción de sudor (para aliviarse y rodearse del propio olor); enrojecimiento de la piel (para asustar al adversario); vaciado del intestino y de la vejiga (para estar más ligero), etcétera. En fin, que el organismo se prepara para enfrentarse o para huir. La liberación de adrenalina en la sangre en menos de un segundo es la que produce el conjunto de estos efectos. Psíquicamente, la vigilancia aumenta y el pensamiento se focaliza sobre el o los objetos estresantes, dejando de lado los restantes. Se observa una actitud de retirada o, a la inversa, de agresividad verbal o física, de agitación o de sideración (como la del conejo frente a los faros de un coche), de impulsividad o de contención (en forma de tics o de TOC [trastorno obsesivo compulsivo]).

Si la situación de estrés se prolonga durante mucho tiempo, se produce un estado de tensión nerviosa y muscular (músculos estriados como los músculos lisos de los órganos digestivos), dolores físicos, pérdida de sueño (con el fin de mantenerse en un estado de alerta), desmovilización del pensamiento por medio de emociones negativas con obsesiones ideativas que provocan un estado de agotamiento físico y moral (cansancio, trastornos de atención, pesadillas, pensamientos sombríos, indiferencia, estado depresivo…).

Cómo reducir el estrés

Tabla de elementos estresantes de Holmes-Rahe

Defunción del cónyuge	100
Divorcio	73
Separación	65
Estancia en prisión	63
Defunción de un pariente próximo	63
Enfermedades o heridas personales	53
Matrimonio	50
Pérdida del empleo	47
Reconciliación con el cónyuge	45
Jubilación	45
Modificación del estado de salud de un miembro de la familia	44
Embarazo	40
Dificultades sexuales	39
Incorporación de otro miembro a la familia	39
Cambio en la vida profesional	39
Modificación de la situación financiera	38
Muerte de un amigo cercano	37
Cambio de profesión	36
Modificación del número de disputas con el cónyuge	35
Hipoteca superior a un año de sueldo	31
Embargo de la hipoteca o de un préstamo	30
Modificación de sus responsabilidades profesionales	29
Partida de un hijo	29
Problemas con los suegros	29
Éxito personal aplastante	28

➤

Principio o final del empleo del cónyuge	26
Primer o último año de los estudios	26
Modificación de las condiciones de vida	25
Cambios en las costumbres personales	24
Dificultades con el jefe	23
Modificación de las horas y de las condiciones de trabajo	20
Cambio de domicilio	20
Cambio de escuela	20
Cambio del tipo o de la cantidad del ocio	19
Modificación de las actividades religiosas	19
Modificación de las actividades sociales	18
Hipoteca o préstamo inferior a un año de sueldo	17
Modificación de los hábitos de sueño	16
Modificación del número de reuniones familiares	15
Modificación de las costumbres alimentarias	15
Viaje o vacaciones	13
Navidades	12
Infracciones legales leves	11

Algunas personas, como reacción ante una situación estresante o en un segundo tiempo después de una reacción de estrés, consumirán alimentos sin tener hambre. La lucha contra el estrés en la vida cotidiana es, pues, uno de los principales ejes para luchar contra el sobrepeso emocional.

Es importante que organice su vida para eliminar o reducir las fuentes de estrés. En primer lugar, se trata de determinar el estado de su estrés. Para hacerlo, es necesario que esté atento a sus reacciones físicas y psíquicas descritas más arriba. En un segundo tiempo, tendrá que identificar los objetos o las situaciones estresantes. Puede anotarlas en un cuaderno a lo largo del día, puntuándolas según su propia escala de 0 a 10.

Ya que si algunas son comunes para todos (los atascos, el estrés relacionado con ciertas profesiones), otras son más específicas (porque su hijo, que se ha convertido en un adolescente, le causa preocupaciones, porque tiene propensión a estresarse a la más mínima tontería, etcétera). Por supuesto, entre las distintas personas hay muchas diferencias respecto al grado de tolerancia ante el mismo objeto estresante. Y un mismo individuo, frente a una situación estresante dada, reaccionará con más o menos viveza según las circunstancias (período vacacional, estación del año, acontecimientos de la vida, como un matrimonio, un nacimiento, un divorcio, un duelo, una promoción o una descalificación profesional, etcétera), o el momento de su existencia (adolescencia, edad madura, menopausia…). Tiene que diferenciar los estrés agudos (una factura que hay que pagar) de los crónicos (un conflicto recurrente con la pareja).

Para calcular el nivel de estrés, según los parámetros de la tabla de elementos estresantes de Holmes-Rahe, sólo hay que tener en cuenta los acontecimientos que se han producido en el transcurso de los veinticuatro últimos meses.

Establezca el total de los puntos obtenidos para todos los acontecimientos sobrevenidos en su vida durante los dos años anteriores.

Si su total es inferior a 150, usted está en la media de la población. Su riesgo de sufrir una sobrecarga ponderal consecuente u otra enfermedad vinculada al estrés es de cerca del 30% (o menos).

Si su total se sitúa entre 150 y 300, usted corre un riesgo cercano al 50% de padecer una enfermedad relacionada con el estrés, como la obesidad generada por este último.

Si usted tiene más de 300 puntos, tiene entre un 80 y un 90%

de probabilidades de padecer un cambio importante en su estado de salud, como las variaciones de su peso.

Lo primero que debe hacer, una vez determinados los factores estresantes, es desactivarlos o protegerse de ellos. Cuando uno reorganiza su existencia, se puede poner a cubierto de algunos elementos estresantes.

Los hiperactivos

Ciertos individuos son especialmente reactivos al estrés. Los psiquiatras conductistas los designan como pertenecientes al «tipo A». En el lenguaje común decimos que «están estresados».

Son personas muy hiperactivas, que hacen mil cosas a la vez, que apenas se permiten descansar, que siempre están en acción, en estado de alerta, y que no tienen ni un minuto para sí mismas. Como suelen ser perfeccionistas, impacientes, directos y exigentes consigo mismos, se irritan e inquietan fácilmente cuando las cosas no pasan tal como ellos esperaban. Como están tensos, están poco atentos a sí mismos y a sus señales de alerta, tienen pocas reservas emocionales, y, a la menor contrariedad, reaccionan inmediatamente con estrés.

Si se posee este perfil, resulta conveniente buscar dentro de sí mismo los posibles orígenes. ¿O acaso al adoptar esta postura está tratando de huir o de protegerse? Un pequeño repaso a sus recuerdos de la infancia le revelará, posiblemente, cuán estresados estaban sus padres para que usted haya decidido imitarlos, o bien cuáles son los elementos estresantes que no le dan ni un minuto de respiro. Un trabajo de psicoterapia dirigido por un psicoanalista le permitirá liberarse de la hiperactividad, descubriendo sus raíces.

Manuelle comprendió que su hiperactividad se remontaba a su infancia. Supo que había nacido después de que su madre hubiera tenido un aborto espontáneo, a los seis meses de embarazo, de un feto del sexo femenino. Prisionera de su pena, al no verse comprendida en su justa medida en aquellos momentos, y con el fin de quitarse aquel lastre de encima, su madre había idealizado a su feto muerto y sólo tenía ojos para él, y tan sólo lo veía a él a través del retrato de su hija viva. Pero ésta, Manuelle, nunca estaba a la altura del ideal de su madre. Aunque no sabía nada, lo sentía todo. Y buscando un perfeccionismo absoluto, no paró hasta hacerse con el control de todo lo que la rodeaba y de ser la mejor en todo. Su conducta podía explicarse, al mismo tiempo, no sólo por su deseo de responder a las imposibles expectativas de su madre, sino también por la necesidad de ser autónoma; como debido a su depresión su madre no podía garantizarle la suficiente seguridad afectiva, y su padre sólo se sentía afectivamente implicado con sus dos hijos varones, ella sólo podía contar consigo misma. Al convertirse en una persona adulta, siempre perfeccionista e hiperactiva, su sobrepeso era un factor de estrés suplementario porque ella, que quería controlarlo todo, no conseguía dominar a su propio cuerpo, el cual le plantaba cara como si fuera un peso muerto (¿el del difunto feto?), o como un niño que se queja de hambre porque carece de ternura.

El hecho de sacar a la luz estos nudos psíquicos y el apoyo psicoterapéutico fueron lo que permitieron a Manuelle liberarse de la carga que soportaba, liberarse de su sobrepeso emocional (perdió más de diez kilos) y, además, llegar a tener un temperamento más «ligero».

Prevenir el estrés

Aunque las acciones que pueden llevarse a cabo para protegerse son infinitas, tanto como las situaciones de estrés, todas tienen un punto común: la anticipación y la prevención del encuentro con el elemento estresante. Así, el hecho de consultar regularmente a su dentista, a su ginecólogo y al médico que lo trata le permite prevenir la aparición de ciertas enfermedades. Reservar regularmente dinero permite hacer frente a gastos imprevistos y potencialmente estresantes. La preparación de la apertura del curso escolar durante el verano, o del veraneo en primavera, evita precipitarse. La formación profesional continua permite reaccionar con más rapidez en caso de cambio en la empresa.

Imaginar situaciones de estrés y los medios para prevenirlas, remediarlas o simplemente para prepararse moralmente frente a ellas, anula, o limita, el estrés inducido.

Si el estrés es crónico, hay que esforzarse tanto como sea posible para desembarazarse radicalmente de lo que lo causa; pidiendo un cambio de puesto, si le es imposible llegar a un acuerdo con su compañero; trasladándose, si su vecindario lleva camino, por ejemplo, de convertirse en ruidoso (vecinos intratables, vías férreas…); renunciando a su coche, contentándose con alquilar uno cuando lo necesite; decidiendo no ver más a su familia política y dejando que su cónyuge vaya solo con los niños si sus suegros son decididamente insoportables; consultando a un psiquiatra infantil si su hijo es un tema permanente de preocupación; acudiendo a psicoterapia de pareja si los conflictos conyugales son tan recurrentes que apuntan al divorcio. Y aunque en un primer tiempo estas decisiones sean fuente de estrés (si no, se habrían tomado con más facilidad), a largo plazo son liberadoras y acertadas.

En cuanto a los pequeños y puntuales momentos de estrés de la vida cotidiana, conviene aprender a relativizar y a dejar de hacer un mundo de todo.

Relaje su cuerpo y potencie su espíritu

Un organismo debilitado reacciona de forma exagerada ante los acontecimientos estresantes, porque no tiene la energía necesaria para modular sus reacciones. Por otro lado, el estrés ejerce sobre él un impacto altamente nocivo. Conviene, pues, reforzar los protectores naturales del estrés.

La primera etapa consiste en que conceda a su cuerpo el suficiente tiempo de descanso y distracción. Para protegerse eficazmente del estrés cotidiano, es fundamental dormir bien. Los horarios de trabajo que limitan la posibilidad de levantarse tarde, no nos dejan otra elección que la de acostarse antes con el fin de dormir, por término medio, de siete a ocho horas por la noche, ya que el sueño de las mañanas, después de las suculentas veladas del fin de semana, es menos reparador. Suprima la televisión en el dormitorio, las sustancias excitantes después de las cinco de la tarde, los baños calientes y el deporte antes de la hora de acostarse. Vele por la insonorización y la oscuridad de su habitación. Suprima los calmantes que consume sin prescripción médica, disminuyendo las dosis progresivamente. Su alimentación debe tener una buena proporción de vitaminas y sales minerales. Respete el ritmo de dos días de descanso a la semana. Elija una actividad de ocio que le satisfaga y dedíquese a ella por lo menos una vez a la semana y como si fuera algo prioritario, y no como si se tratara de una actividad superflua que puede relegarse detrás de todas las tareas profesionales y domésticas.

Es bien sabido que la actividad física regular es un poderoso antiestrés gracias a que provoca la secreción de endorfinas y a que actúa sobre el sistema cardiovascular (descenso de la presión arterial, especialmente a largo plazo). También podemos recurrir a técnicas relajantes que no sólo calman y alivian el organismo, sino que también nos ayudan a tomar el poder sobre nuestro cuerpo en vistas a administrar mejor nuestras reacciones (véase p. 163).

Si para usted las relaciones humanas constituyen una fuente de estrés, podrá reforzar su moral trabajando la confianza en sí mismo, así como la autoafirmación.

Administre bien su tiempo

Un factor de estrés común a un gran número de personas es el de la complejidad que ofrece la gestión del tiempo. El «no tengo tiempo» se ha convertido en un verdadero *leitmotiv* que no sólo concierne —¡ni mucho menos!— a los hombres de negocios. Esta dificultad para organizarse ocasiona un sobrepeso emocional relacionado con el estrés acumulado. Pero también influye directamente sobre el comportamiento alimentario, cuyo marco temporal resulta trastornado. Con mayor frecuencia, la aceleración del ritmo de vida empuja a más personas a comer deprisa, privándolas de la posibilidad de ingerir comida auténtica. Se podría creer que esas pequeñas raciones, emparedados, platos listos para el microondas u otros preparados de comida rápida ayudarían a mantener un peso estable. Pero hoy sabemos que es todo lo contrario, ya que aumentan el aporte de calorías; es decir, no son sólo «pequeñas» raciones, sino que a menudo son ricas en glúcidos o en grasas, sólo calman el hambre momentáneamente y se ingieren sin ningún placer. En cambio, el hecho de tomarse el tiempo necesario para ingerir comidas equilibradas limita el aumento de peso a largo plazo.

Aprender a administrar el tiempo es, pues, indispensable para limitar el estrés, pero también para que el acto de comer no se limite a consumir productos alimentarios.

Para empezar, necesita una agenda, de papel o electrónica. No estoy hablando de una agenda profesional, sino de una *agenda de vida*, en la que no sólo figurará lo relacionado con su trabajo, sino también el resto de sus actividades, entre las que algunas, como el sueño, las comidas y el tiempo mínimo que dedica a la actividad física, no deben faltar. Anote cada día, hora a hora, durante dos semanas, todo lo que hace, a fin de tener una visión precisa del conjunto de sus tareas diarias y de la prorrata temporal de cada ámbito (trabajo, sueño, distracciones personales, vida familiar, cargas de la vida cotidiana…). Luego prosiga teniendo en cuenta sólo los tiempos que resultan inamovibles, es decir, aquello que parece absolutamente indispensable. Por ejemplo, en el trabajo, el tiempo que dedica a ciertas reuniones en las que su presencia es obligatoria, pero también el de otras para las que puede excusar su asistencia, e incluso, negociando, hasta cuestionar su participación. Sin proclamarlo, oblíguese a no quedarse inútilmente demasiado tiempo en el trabajo, sobre todo cuando ya no haya nadie que pueda constatar su presencia y su celo —esta noción de visibilidad es importante porque, más allá del trabajo que realmente efectuamos, también se nos juzga por nuestra presencia—. Por ejemplo, váyase de vacaciones al mismo tiempo que todo el mundo, porque sino los demás tendrán la impresión totalmente subjetiva de que no lo ven nunca.

La poda vendrá en un segundo momento. Comparando el empleo del tiempo, verá lo que puede eliminar o reducir (espaciando, por ejemplo, su participación en tal o cual reunión una semana de cada dos, o delegando tal o cual quehacer doméstico en su hijo mayor). Suprimir o aligerar ciertas tareas, sobre todo cuando uno se encarga de ellas desde hace tiempo, es la parte más difícil del trabajo. Comience por aquello que le parezca más fácil. Utilice la negociación y el compromiso, pero muéstrese firme cuando haga falta; en cualquier caso, eso pasa por la autoafirmación en la expresión de demandas o en la formulación de nuevas negativas.

Acuda a las personas-recurso

Ya hemos visto que hay numerosas fuentes de estrés que son comunes a todo el mundo, pero que cada uno tiene las suyas propias. Y lo mismo pasa con los mecanismos de defensa frente al estrés; aunque existen mecanismos comunes, como acabamos de ver especialmente respecto al estrés relacional (que actúa tanto en el trabajo y en el hogar como en la calle), cada individuo cuenta con sus propias estrategias, más o menos eficaces, para protegerse o recuperarse. A usted le corresponde identificarlas y, si es posible, desarrollarlas.

Ciertas personas pueden desempeñar un gran papel en todo ello: son las *personas-recurso*. Dichas personas son miembros de nuestro entorno y nos hacen bien. Nos tranquilizan, y nos ayudan a encontrar consuelo y soluciones a los problemas de la vida cotidiana. Y no son fuentes de estrés. No siempre son familiares nuestros, sino que pueden ser vecinos, parientes lejanos, colegas, profesionales (nuestro médico), etcétera. Se trata de saber identificarlas entre el conjunto de las personas que nos rodean, y de buscar momentos para estar con ellas, reduciendo, de hecho, el tiempo que pasamos con otras personas que para nosotros son nefastas, perniciosas y estresantes. Asimismo, es importante preservar los vínculos que nos unen a ellas, e incluso reforzarlos, ofreciéndoles tanto como sea posible algo positivo a cambio de la ayuda que nos prestan (aunque tan sólo sea mostrándoles nuestro agradecimiento). Porque, paradójicamente, no siempre frecuentamos más la compañía de aquellas personas que más bien nos hacen. Y algunas veces eso también incluye a aquellos a quienes hemos escogido como pareja… Prisioneros de ciertos esquemas de comportamiento, de relaciones ya pasadas, por no hablar de conductas casi masoquistas, a veces nos vemos atrapados por redes relacionales que nos oprimen y que constituyen un lastre para nuestro desarrollo.

Mejore la comunicación consigo mismo

Las dificultades relacionales son una gran fuente de estrés, en especial cuando nos enfrentan a la agresividad o la manipulación de los demás. Pero su efecto puede atenuarse mejorando nuestras capacidades de comunicación (véanse las técnicas de autoafirmación en el capítulo 10).

Pero sea cual sea la presión del entorno, el estrés también es el resultado de una mala autocomunicación. Ante una situación que implique a varias personas, cada una de ellas la vivirá de un modo distinto porque reaccionará emocionalmente según su propia manera; es decir, en función de su propio análisis y de sus propias reacciones emocionales.

Somos diferentes en nuestro modo de interpretar, de calibrar y de juzgar los hechos, las relaciones y las situaciones que tienen lugar, así como de reaccionar frente a ellas. Aprender a controlar los propios pensamientos ayuda a controlar el estrés que se origina en las representaciones mentales estresantes. Para ello, es necesario analizar el o los pensamientos que acompañan a cada situación estresante. Tal como hemos hecho al detenernos en cada una de las emociones que nos despiertan las ansias de comer, ante una situación que juzgamos estresante se trata de anotar lo que sentimos y lo que pensamos. Conocer los mecanismos de pensamiento potencialmente estresantes nos permitirá desbaratarlos cuando se produzcan. He aquí los principales:

- La *personalización* es un giro de pensamiento por medio del cual el individuo se atribuye sistemáticamente la responsabilidad de los problemas presentes o pasados. Por ejemplo, cree que la risa que ha oído al pasar entre una multitud era una risa burlona destinada a su persona. Este modo de pensar denota un sentimiento de culpabilidad constante y una especie de egocentrismo, ya que el individuo piensa que se halla en el origen de todos los hechos negativos.

- La *maximización* otorga una importancia desmesurada a ciertos hechos, convirtiéndolos en una fuente de estrés; mientras que la *minimización* deprecia los acontecimientos positivos. Por ejemplo, cuando su jefe le entrega su evaluación anual, Nathalie sólo se fija en la única crítica que contiene, aunque se trate de una crítica aislada rodeada de varios cumplidos, de los que hace poco caso.

- La *generalización excesiva* es un trastorno del razonamiento que construye una regla general a partir de un acontecimiento aislado. Por ejemplo, si me «muero» por ese helado, es que soy incapaz de seguir un régimen.

- La *abstracción selectiva* lleva a seleccionar sólo una parte de una situación global para extraer una conclusión de ella.

- La *inferencia arbitraria* es un defecto de análisis o de síntesis que mueve a sacar una conclusión ilógica o irracional de una situación. Le pedimos a Hélène, igual que a otros de sus colegas, que aumente su nivel de rentabilidad, y ella llega a la conclusión de que sus superiores quieren quitársela de encima porque es obesa.

- La *divergencia* analiza cualquier situación de un modo binario, es decir, en términos de contrarios o de «todo o nada». Por ejemplo, si tal persona no está completamente conmigo, es porque está contra mí.

Tomar distancia respecto a los pensamientos

Tomar distancia sobre el modo de pensar consiste en mirarnos a nosotros mismos con distancia y en observar nuestras reacciones mentales como si se trataran de las reacciones de otra persona. El análisis que se deriva de actuar de este modo es más objetivo, y en todo caso permite oponerse al mecanismo de personalización. Poco a poco, pensamiento tras pensamiento, nos daremos cuenta de cuál es el que nos hace ver la botella medio vacía en vez de medio llena, de que todo no es negro o blanco, de que uno no es el centro del mundo, de que no se pueden sacar conclusiones basándose sólo en una parte de las cosas, de que el detalle no resume el conjunto y de que a menudo existen diferentes puntos posibles que hay que explorar.

Más que pasarse el tiempo rumiando un pensamiento estresante, es decir, «machacándolo» sin avanzar ni llegar a nada, es preferible que analice sus conclusiones escalonadamente: en cada peldaño, analice las diferentes entradas posibles. Por ejemplo, si alguien se ríe detrás de usted, lo más seguro es que tienda a pensar que se burla de usted. Pero ¿por qué de usted y no de otros? ¿Qué prueba tiene de que se trata de una risa burlona? ¿Cómo puede afirmar que es usted su destinatario? ¿Qué tiene usted que sea motivo de burla? Entre toda la gente, ¿usted es el único que es así? Y aunque ése fuera el caso, ¿le parece suficiente motivo para estar resentido o entristecido consigo mismo? ¿Qué representan esos individuos para usted? ¿Es tan grave? ¿La imagen que usted tiene de sí mismo depende de esos desconocidos?

En cada uno de nosotros hay creencias, a menudo grabadas desde la primera infancia, en las que los pensamientos estresantes han echado raíces. Es conveniente que explore en su interior, las descubra y las desentierre con el fin de quitárselas de encima o, por lo menos, de estar menos influenciado por ellas;

la creencia de que hay cosas que no pueden cambiarse y que «están escritas», lleva a la idea, por ejemplo, de que uno está destinado a seguir siendo gordo toda la vida; o a una forma excesiva de perfeccionismo, que consistiría en pensar que una vida exitosa es una vida sin errores.

Para cambiar los modos de pensar, hace falta tiempo. Y si éstos están demasiado arraigados para que baste con el trabajo personal, sería conveniente pedir ayuda a un psicólogo o a un psiquiatra.

Relajarse

Si se puede actuar sobre los pensamientos y modificarlos, también es posible dejar la mente en blanco con el fin de liberar el cuerpo. Éste es el principio de la relajación, que tiene como objetivo descargar el organismo de las consecuencias del estrés aislándolo. Para ilustrar este principio de acción, piense en que si el estrés se resumiera en el ruido, la relajación no lo eliminaría, pero provisionalmente instalaría un doble acristalamiento.

El cerebro mantiene una relación permanente con el cuerpo y lo convierte en el portavoz de lo que analiza. Así, cuando el cerebro, a través de los sentidos repara en una amenaza, la amígdala, la zona cerebral donde se sitúa el mando de las emociones, se activa y sentimos miedo. Los mensajes se envían por conducto del sistema nervioso (médula espinal, sistema simpático), poniendo en marcha un aumento de la frecuencia cardíaca y respiratoria, y una contracción de los músculos. Cuando la amenaza desaparece, la amígdala se desactiva y los mensajes que ahora transcurren por la vía parasimpática favorecen el distendimiento corporal.

La relajación es un método tan viejo como el mundo y que ha demostrado ser eficaz para ayudarnos a desembarazarnos de los nudos de nuestro espíritu, y por tanto, para el tema que nos interesa, para frenar la creación de sobrepeso emocional. Cada cultura y cada época poseen su propio método (meditación budista, trascendental, yoga, levitación…). El fin de estas diferentes técnicas es suspender la irrupción de pensamientos que alimentan el estrés y poner en marcha el proceso de descanso fisiológico del organismo. Este descanso no es sólo subjetivo, ya que cuando se produce se observa un descenso de la frecuencia cardíaca, una disminución de la frecuencia respiratoria, una bajada del índice de cortisol y relajación muscular.

Aprender a respirar

La primera etapa consiste en tomar conciencia de la respiración, algo que habitualmente se hace sin pensar de verdad en ello. La respiración es un medio de comunicación emocional. Así, cuando uno se ríe, espira, e inspira cuando llora. Es un mediador entre el cuerpo y el espíritu.

Se trata también de aprender a respirar porque habitualmente se espira de manera insuficiente. La natación es un buen paso previo a esta toma de conciencia. También lo es la marcha, por poco que ésta venga acompañada de algunos ejercicios más, como el que consiste en respirar y marchar al mismo ritmo (por ejemplo, realizando una espiración cada tres pasos). En gimnasia, se aprende a inspirar sin contraer la altura del cuerpo, y a espirar relajando los omóplatos y concentrándose en el diafragma. La práctica del canto es también un excelente medio para dominar todos los flujos de aire dentro del cuerpo. Hacer yoga es otra buena forma de prestar atención a los diferentes músculos responsables de la respiración y de aprender a controlarla. Existen otros métodos similares como el *qigong*, una ancestral gimnasia china basada en la postura y la respiración.

Otro paso previo útil antes de entrar en las técnicas de relajación, y complementario del trabajo respiratorio, es el masaje. Existen distintos tipos de masaje (con rodillo, con aceites esenciales, tailandés o californiano, con piedras, etcétera). El interés común de todos ellos, gracias al tacto del masajista, reside no sólo en tomar conciencia de la envoltura corporal y de sus zonas sensibles, sino también en descubrir zonas del cuerpo que descuidamos y olvidamos porque normalmente dan poco que «hablar» (por ser poco sensibles, poco estimuladas).

Citemos también la reflexología, una práctica con raíces milenarias que se basa en la teoría de que a cada zona refleja del pie le corresponde una gran función del cuerpo humano (digestión, respiración, etcétera): masajeando esa zona del pie, se estimula una función determinada.

Las diferentes técnicas de relajación

La práctica regular de la relajación permite obtener resultados cada vez más perfectos. Cada sesión dura por término medio de quince a veinte minutos.

La *respiración rítmica* consiste en ralentizar la respiración y hacerla más amplia y más profunda. Hay que concentrarse en cada inspiración y espiración contando hasta cinco para asegurarse de la duración y la regularidad de los ciclos. Un cuarto de hora al día puede bastar.

La *relajación autógena* requiere aislarse de todo ruido y de toda luminosidad externos antes de respirar, en un primer momento, profundamente y visualizando el conjunto de nuestra anatomía. Luego nos concentramos en los músculos del cuerpo. Nos representamos mentalmente los grupos musculares, imaginándolos muy pesados, y luego, en un segundo momento, los aflojamos progresivamente. Entre estas diferentes representaciones, nos imaginamos el aire que entra y sale de nuestros pulmones. En caso de que se produzcan ruidos externos, nos los imaginamos atravesando nuestro cuerpo como si éste fuera poroso o estuviera constituido de materia celeste. El ejercicio se termina imaginando calor en la zona del plexo solar, que luego se extiende a todo el conjunto del organismo.

La *relajación progresiva* también afecta a los músculos, que hay que individualizar mentalmente uno a uno, primero contrayéndolos y luego relajándolos. Es un modo de tomar posesión mentalmente de los diferentes puntos de tensión del cuerpo. Para cada grupo, repetiremos las contracciones dos veces, expirando profundamente en el momento de la relajación. Empezaremos por los pies, para ir subiendo de forma progresiva a los tobillos, las pantorrillas, los muslos, las nalgas, el abdomen (contraer los abdominales, meter el vientre hacia adentro), la espalda (tensar los omóplatos hacia atrás), los hombros (que se encogen hacia el cuello), el cuello (bajando la barbilla), la mandíbula, la frente y, para terminar, los párpados.

Las técnicas de meditación invitan a concentrarse profundamente en un objeto, un sonido, una música o una imagen con el fin de vaciar el espíritu de otros pensamientos. La *técnica de las imágenes mentales* consiste en contemplar en la imaginación escenas, vividas o inventadas, que resulten especialmente tranquilizadoras.

El principio común de estas diferentes técnicas consiste en distanciarse de la realidad de nuestro cuerpo y sus limitaciones para dejar circular nuestro espíritu y evolucionar mentalmente en el seno de diversas visualizaciones. Cuando estamos acostados y pasivos, poco a poco la sensación de pesadez se va atenuando en nosotros. La percepción de los límites externos del cuerpo se vuelve cada vez menos nítida. El objetivo es llegar a desconectarse de la masa corporal, escapar del cuerpo, desmaterializarse y ser tan sólo un espíritu puro.

Muchas religiones integran la idea de una entidad «incorpórea» a la que se denomina «alma» o «espíritu». Sea cual sea el método escogido para relajarse, éste da la posibilidad de acercarse, de percibir —cuando no de captar, en el caso de las personas más avezadas en esta práctica—, la imagen inconsciente del propio cuerpo, y, para quienes posean un mayor dominio, de llegar a influir en ella.

Los maestros en la práctica de la relajación saben controlar sus funciones fisiológicas: disminuir el ritmo cardíaco, reducir el gasto energético, controlar el peristaltismo intestinal[1]; en suma, dominar el sistema nervioso vegetativo, que regula los órganos blandos (normalmente, uno sólo regula conscientemente los músculos estriados, llamados «motores»).

Para hacer en casa

Nosotros seremos más modestos, insistiendo, entre las diferentes técnicas de relajación, en la visualización. Aíslese en una habitación silenciosa, no sin antes eliminar todas las posibles fuentes de perturbación (especialmente el teléfono). Tiéndase sobre un colchón o en una bañera con agua caliente, en un ambiente de semipenumbra. Y deje vagar su espíritu como si se hallara en un autobús o en un tren y estuviera contemplando el paisaje.

Si esto no se produce de manera espontánea, pase directamente a la segunda etapa, que consiste en evocar recuerdos de la infancia y en verse, por ejemplo, corriendo por el campo o soñando despierto en clase. A continuación represéntese tal como es hoy en todas las situaciones de su vida, desde la mañana has-

---

1. Las contracciones del intestino que hacen avanzar los alimentos.

ta la noche. Trate de hacer desfilar ante sus ojos, en una pantalla imaginaria, todas las escenas de la jornada, como si estuviera siendo filmado por la cámara de un *reality show*. En un primer momento, obsérvese a sí mismo sin hacer ningún comentario y sin detener la imagen, con el fin de ver la totalidad de una jornada típica. Luego vuelva al principio y comente su actitud en cada una de las escenas, como si se tratara de otra persona, y no dude en hacer primeros planos de ciertas situaciones.

Se trata de que tome distancia visualmente de sí mismo. Imagínese entonces, para cada situación, la actitud que le gustaría tener para responder a su verdaderas necesidades y deseos. Por ejemplo, cuando su superior le hace un reproche, en lugar de consolarse con una tableta de chocolate, imagínese reflexionando sobre lo fundado del reproche, informándole de sus justificaciones, reconociendo sus errores, o, por el contrario, defendiendo su punto de vista y, por qué no, reaccionando emocionalmente llorando o gritando. Después de haberlo hecho varias veces, pase a centrarse en determinadas jornadas concretas, analizando los propósitos, las respuestas, las decisiones y los hechos, para compararlos con lo que habría podido ser si en aquel momento se hubiera escuchado realmente a sí mismo.

Tratamiento del estrés por la coherencia cardíaca

Entre las técnicas más recientes para combatir el estrés, hay una que nos llega directamente de Estados Unidos, pero que parece inspirarse en gran medida en técnicas seculares de relajación: es el tratamiento por la coherencia cardíaca.

Este método estadounidense se ha utilizado inicialmente en cardiología con el fin de limitar el impacto del estrés en la evolución de las enfermedades cardiovasculares. El estrés afecta a la frecuencia y el ritmo cardíacos, y este método, al actuar sobre estos últimos, permite mantener el control resistiendo a la influencia del estrés.

Se ha visto que el estrés tiene su origen en la acumulación de frustraciones repetidas, de expectativas insatisfechas, y en el contraste entre un acontecimiento que los demás perciben como neutro y la propia percepción que uno mismo tiene de él. Este desfase induce una incoherencia fisiológica en referencia al historial emocional, lo que hace que, ante cada una de estas situaciones, se reaccione mediante una cascada emocional específica y comportamientos estereotipados. El método de la coherencia cardíaca tiene como objetivo salir de esta reacción en cadena que nos atrapa.

En este método, el corazón se concibe como un cerebro emocional por sí solo. Es un órgano que se anima a sí mismo. Induce movimientos emocionales mediante los sistemas nerviosos simpático y parasimpático. Y opera también a través de la secreción de hormonas tales como la oxitocina y el FNA[1], que actúan sobre el equilibrio emocional.

Los sistemas nerviosos denominados «simpático» y «parasimpático» son sistemas autónomos. Es decir, que no están bajo el control de la voluntad consciente del cerebro, sino vinculados al sistema límbico del cerebro, la zona emocional. Asimismo, ejercen una acción y una retroacción sobre el sistema vegetativo, esto es, el conjunto de los órganos (movimientos del intestino, secreción de los diferentes órganos, etcétera) que aseguran nuestro equilibrio fisiológico.

El sistema nervioso simpático eleva la frecuencia cardíaca y la tensión arterial, contrae los vasos sanguíneos, dilata las pu-

---

1. Hormona peptídica llamada «factor natriurético atrial».

pilas y los bronquios y estimula las hormonas de combate (cortisol).

El sistema nervioso parasimpático, en cambio, ralentiza el corazón y calma y disminuye el gasto del organismo, poniéndolo en estado de reposo.

El método llamado «de la coherencia cardíaca» se basa en la variabilidad del ritmo cardíaco, midiendo el tiempo entre dos latidos. Este ritmo puede revelarse caótico o aleatorio, por ejemplo, bajo el efecto de la cólera o de la ansiedad. Y a la inversa, es coherente, ordenado, cuando se sienten emociones positivas, bienestar, serenidad, compasión, reconocimiento, afecto y amor compartido. Nuestro estado emocional y la variabilidad de nuestro ritmo cardíaco se hallan, pues, en mutua interacción. Llegar a controlar la coherencia cardíaca es uno de los medios para controlar el estrés. Se trata de reequilibrar las relaciones entre el cerebro emocional y cognoscitivo y el corazón, a fin de limitar el impacto del estrés.

Este método puede resumirse en cuatro etapas:

– La primera consiste en localizar los signos del estrés en uno mismo: irritabilidad, agitación, tics, comerse las uñas, darle vueltas a un asunto, compulsión alimentaria…

– La segunda se basa en el corazón: centramos nuestra atención en este órgano, representándonoslo visualmente y poniendo la mano encima si es necesario.

– La tercera etapa consiste en mantener nuestra atención en el corazón y controlar su frecuencia con el pensamiento. Imagine, por ejemplo, que se hincha como los pulmones cuando inspira y se deshincha cuando espira.

Resumamos en la práctica estas tres primeras etapas: nos sentamos erguidos en un taburete o una silla, sin cruzar las piernas, con una mano en el corazón, la otra sobre el vientre, y los ojos cerrados. Inspiramos durante cinco segundos y luego espiramos igual de lentamente imaginando que el aire entra en el corazón. Eso da un total de seis respiraciones por minuto.

– La última etapa consiste en rememorar un recuerdo muy bueno, susceptible de alegrar el corazón y de guardarlo en la memoria, de saborearlo con el fin de prolongar su efecto.

Haremos esto durante nueve minutos diarios por término medio, pero a poder ser en tres etapas de tres minutos cada una, espaciadas a lo largo de la jornada. Ello permite limitar el impacto del estrés sobre el corazón, regularlo, conservar cierta coherencia cardíaca y, en consecuencia, aumentar la tolerancia emocional general.

Hay programas informáticos que permiten entrenarse en esta práctica. Unos sensores conectados al dedo índice recogen datos biométricos (la frecuencia cardíaca) que, traducidos en gráficos, permiten seguir las variaciones en función de los pensamientos y las emociones que se intenta controlar.

Quien duerme el hambre olvida... y además no engorda

Dormir lo suficiente y tener un sueño de buena calidad resulta primordial para obtener un equilibrio afectivo y limitar así la acumulación de sobrepeso emocional. La falta de sueño favorece los trastornos de ansiedad o depresivos, la irritabilidad, la impulsividad y la fragilidad frente al estrés (perturbando en especial la secreción de cortisol).

La falta de sueño entraña, además, el riesgo de desequilibrar directamente el comportamiento alimentario al perturbar la secreción de las hormonas que regulan el apetito: la leptina y la ghrelina. La leptina, que elimina la sensación de hambre, se segrega sobre todo por la noche. En cambio, la ghrelina, que abre el apetito, se segrega sobre todo en estado de vigilia. Así, en caso de falta de sueño, la secreción de esta última será más importante que la de la leptina y, en consecuencia, tendremos hambre, en especial de alimentos azucarados. Esto se explica lógicamente por el hecho de que el organismo probablemente trate de compensar la falta de energía vinculada a la falta de sueño mediante una aportación calórica suplementaria. Así, el proverbio «quien duerme el hambre olvida» resulta ser cierto: cuando se duerme lo suficiente, se tiene menos hambre, como si uno se hubiera hartado con una buena cena…, pero sin ganar peso.

Según sea la cama, así se duerme

La primera etapa consiste en acondicionar la habitación. Nos aseguraremos de que goce de un buen aislamiento sensorial; por ejemplo, pueden ser necesarias ventanas de doble cristal para protegernos de los ruidos exteriores. El aislamiento de la luz es también importante, y puede ser útil invertir en cortinas dobles o persianas. No dude tampoco en utilizar un antifaz para los ojos y tapones para las orejas. Asimismo, es fundamental que haya una buena temperatura, idealmente de unos 20 grados centígrados; considere la instalación de un aislamiento térmico o un sistema de climatización.

El acondicionamiento de la habitación le ofrecerá un espacio que corresponda a sus necesidades: hay quien duerme mejor en el entorno de una habitación estrecha y cargada de mobiliario o de objetos decorativos, mientras que otros necesitan hacerlo en un gran espacio vacío. La elección de la decoración también es importante. Así, hay colores que se sabe que resultan más tranquilizadores, como el azul, el blanco o el malva. No obstante, la simbología de los colores tiene unos códigos de lectura personales en función de las vivencias de cada uno. Más anecdótico, salvo para aquellos para quienes el olfato es un sentido fundamental, puede ser el uso de un difusor de perfume, a poder ser de fragancias naturales. En cambio, resulta esencial procurar cambiar de cama si nuestro colchón es demasiado viejo (más de diez años) o demasiado incómodo (excesivamente duro o blando). También podemos recurrir al *feng shui*, que propone un determinado acondicionamiento de la vivienda, en especial en la orientación de la cama, con el fin de influir en el estado mental y, en particular, para mejorar el sueño.

Hábitos de vida y rituales

Iremos prescindiendo muy progresivamente de los hipnóticos que se toman sin prescripción médica, reemplazándolos en un primer momento por tisanas (tila, azahar, valeriana, espino blanco, etcétera), ya que, por muy eficaces que resulten, no proporcionan un sueño tan reparador como el sueño natural, y, sobre todo, no se respeta el conjunto de los ciclos. Además, a menudo provocan un estado de dependencia.

Algunos problemas médicos son responsables de una alteración no perceptible de la calidad del sueño. Éste es el caso de las sinusitis crónicas o, sobre todo, de las apneas del sueño con pausas respiratorias que provocan microdespertares. Estas últimas son más frecuentes entre las personas con sobrepeso. Aparte de adelgazar, se pueden tratar colocándoles a quienes las padecen un aparato sobre la cara durante la noche, o bien practicándoles una intervención quirúrgica en la campanilla, situada en el fondo del paladar.

Antes de acostarse, concédase como mínimo una hora de descanso, durante la cual no debe trabajar ni en la casa ni en lo relacionado con su profesión. Déjelo todo para el día siguiente. Consagre este tiempo a actividades fáciles y agradables. Es la ocasión de proponerle unos mimos a su pareja, ya que la actividad sexual es un poderoso relajante. Evite, en cambio, la ingesta de alcohol, que, aunque en un primer momento distiende, luego favorece despertares nocturnos y merma la calidad del sueño. De igual modo, no es aconsejable un baño caliente (paradójicamente, resulta preferible una ducha fría), ya que tiende a despertar tras la relajación inicial. Obviamente, suprimiremos la ingestión de excitantes después de las 17 horas, sea té o café. Asimismo procuraremos no comer nada demasiado pesado poco antes de acostarnos.

Hay quien necesita, como los niños, una especie de ritual a la hora de acostarse, que incluye, por ejemplo, cepillarse los dientes, aplicarse una crema de noche, recorrer la casa para verificar que todas las puertas estén bien cerradas, ponerse unas gotas de perfume, leer algunas páginas de un buen libro o escuchar una determinada música. Este ritual prepara la psique para la interrupción de las actividades de la vigilia y para la activación del proceso de adormecimiento.

Por otra parte, resulta preferible no utilizar demasiado la cama para otra cosa que para dormir. Evitaremos trabajar y comer en ella, a fin de que en nuestro espíritu se asocie directamente con el sueño o con la actividad sexual.

Suprimiremos el televisor en la habitación, ya que invita a quedarse despierto hasta tarde: las imágenes de la televisión son un mal somnífero por más que uno acabe por dormirse de cansancio delante de ella. De hecho, generalmente son estimulantes, y ciertos programas favorecen estados nocturnos de estrés porque provocan pesadillas. Sin contar con que el televisor en el dormitorio conyugal mata el amor, y que el amor, digámoslo una vez más, es el mejor de los somníferos.

Si usted no puede pasarse sin unas cuantas imágenes para dormir, dé preferencia a una emisión concreta. En lugar de zapear sin parar, elija un programa concreto, a poder ser grabado, y mejor un programa de ficción que de noticias, ya que éstas estimulan la vigilia y pueden resultar angustiosas.

Cambiar la perspectiva sobre el sueño

Piense en que durante el sueño uno no está en absoluto inactivo. Durante la noche, sus meninges ponen orden en sus pensamientos. Es un trabajo de clasificación, de selección y de memorización, pero también de tratamiento de las emociones de la jornada. Es también el tiempo de las diversas secreciones que aseguran toda clase de reparaciones corporales. Un buen equilibrio emocional, un humor regulado, los mecanismos de respuesta al estrés de la jornada: todo ello se pone en su lugar durante nuestro sueño. El proceso de adormecimiento y el mantenimiento del sueño no consiste sólo en poner «en modo de espera» nuestro estado de consciencia, sino también en activar diversos mecanismos regulados por la sustancia reticular, localizada en el tronco cerebral (la parte posterior e inferior del cerebro).

Independientemente de las diferentes técnicas propuestas, lo importante es cambiar nuestra perspectiva global sobre el sueño. Hoy, con demasiada frecuencia, el sueño se vive como una pérdida de tiempo. Se ve como un fastidio en estos tiempos de hiperactividad en todos los ámbitos, algo parecido al castigo que se le impone a un niño al que se priva de la tele y que debe irse a la cama antes de tiempo. Ya es hora de que redescubramos el placer de dormir y de que nos zambullamos en nuestro mundo interior, el de los sueños.

8

Cómo evitar que nuestras emociones nos hagan comer

Una emoción es un fenómeno breve que esencialmente sucede en el cuerpo y que en segundo término agita los pensamientos. Las tres principales emociones negativas son la tristeza, el miedo y la cólera. El sentimiento es el etiquetado de la emoción por parte del cerebro. Por ejemplo: «Tengo un sentimiento de cólera». A menudo, el sentimiento califica: sentimiento de abandono, de incomprensión… El sentimiento es un pensamiento, mientras que la percepción es un término más vago, que puede designar al mismo tiempo la emoción, los fenómenos físicos asociados a la emoción o el sentimiento.

Se ha hablado mucho de la desigualdad entre hombres y mujeres con respecto a las emociones. En mi opinión, habría que relativizarla, máxime cuando esa desigualdad varía de una cultura a otra. Independientemente de que tales diferencias estén vinculadas a razones educativas (a los niños y las niñas se les educa de forma distinta), culturales, hormonales o genéticas, ello implicaría que también existen diferencias entre los dos sexos en lo que concierne al sobrepeso emocional. ¿Dicho sobrepeso es más frecuente entre las mujeres? Hasta ahora ningún estudio prueba tal cosa. Aunque lo que sí se puede afirmar es que sus modos de adquisición son diferentes. Así, ciertos trastornos del comportamiento alimentario son más específicamente femeninos, como la bulimia. Lo que a menudo se afirma, pero yo apenas suscribo, es que las mujeres expresarían más sus emociones, pero sabrían controlarlas menos.

Vamos a analizar algunas emociones fundamentales para estudiar su impacto en el peso y la manera de gobernarlas, sin establecer diferencias entre los sexos.

El miedo

Es una emoción que generalmente se siente con ocasión de un peligro físico, afectivo o moral, presente o futuro, de forma segura o potencial. Puede tratarse de un peligro imaginario, como en las diversas fobias. Hoy sabemos en qué parte del cerebro se sitúa la zona que activa el miedo, que incluye la amígdala: no esas amígdalas que tenemos en el paladar y que muchas veces nos extirpan, sino un conjunto de núcleos localizados en los lóbulos temporales del cerebro.

Hay factores susceptibles de provocar miedos a todo el mundo, y que probablemente están inscritos genéticamente, tales como el miedo a lo desconocido que tienen todos los mamíferos. Al igual que otras emociones, el miedo se asocia a expresiones faciales reconocibles. Podemos sentir miedo por nosotros mismos, o bien, a semejanza de otras emociones, por empatía respecto a los demás. Pueden suscitar miedo los seres vivos, los objetos, los pensamientos voluntarios o involuntarios (sueños), los conceptos (la muerte, o incluso el miedo a tener miedo: fobofobia), las situaciones, los ambientes y todo lo que puede captarse sensorialmente.

La ausencia permanente de miedo es una patología, ya que

puede revelarse peligrosa para uno mismo. En efecto, el miedo es útil. Es un factor de protección cuando invita a la prudencia y a la moderación en todos los aspectos, incluyendo el ámbito de los comportamientos alimentarios. Pero, si es demasiado intenso y permanente, lleva a replegarse sobre uno mismo, al aislamiento y por lo tanto, a la larga, al aumento de peso. No debe ser un obstáculo frente a la apertura a los demás, las nuevas experiencias, la curiosidad y la creatividad. Si es ese el caso, hay que actuar sobre él, y sobre uno mismo, para reducirlo.

La falta de seguridad favorece los momentos de miedo, ya que uno no se considera apto para hacer frente a los diversos peligros. Pero una autoestima excesiva, como sucede con quienes sólo piensan en sí mismos, también constituye un factor de riesgo. En efecto, los paranoicos o los megalómanos se imaginan que son el blanco de todas las amenazas del mundo. Un fondo continuo de miedo, o los accesos de miedo repetidos, favorecen la producción de sobrepeso emocional. Y ello porque la ingesta alimentaria (a la que eventualmente se asocia la ingesta de alcohol, utilizado desde la noche de los tiempos como ansiolítico) es un medio para calmar la angustia, que es la percepción física del miedo. En cuanto al hecho de replegarse sobre uno mismo, ya hemos visto que también genera un repliegue sobre el alimento.

Cómo actúa el miedo sobre el peso

Entre todos los miedos, teóricamente el miedo a engordar debería hacer perder kilos. Pero, como todo miedo, también puede inducir un sobrepeso emocional, además de comportamientos alimentarios inadaptados, dado que el miedo no es mejor consejero que la cólera.

Hay miedos que intervienen directamente en el comportamiento alimentario impulsando a alimentarse en exceso o, por lo menos, a no perder peso. Se trata de miedos asociados a pensamientos erróneos, anclados en el psiquismo. He aquí algunos ejemplos: el miedo a ser seductora si se adelgaza, asociado al temor a rivalizar, por ejemplo, con una hermana, o al temor a tener un encuentro amoroso y sexual; el miedo a un adelgazamiento que desencadenaría un estado de mala salud como eco de las angustias de una madre nutricia; el miedo a desmayarse o a pasar hambre si no se come lo bastante; y por fin, como caso extremo, el miedo a morir de hambre.

Cómo luchar contra un exceso de miedo

¿Qué conducta hay que seguir? Se trata de descubrir los factores susceptibles de producir el miedo, y de evitarlos o aprender a hacerles frente. A veces conviene modificar el modo de vida (mudarse, alejarse del entorno, divorciarse, cambiar de empleo) con el fin de limitar la influencia de esos factores.

El miedo tiene en ocasiones efectos saludables sobre el peso, cuando da alas e impulsa a experimentar, a emprender, a acudir a otros para buscar una forma de protección que es exactamente la contraria a encerrarse en uno mismo.

El mejor modo de desembarazarse del miedo es hacerle frente. Si le amenaza, enfréntese mentalmente a él. Para evitar tener miedo a quedarse solo, por ejemplo, acepte la idea; es decir, aprenda a vivir solo. Imagínese su distribución del tiempo, su ocio y sus nuevas prioridades. Se asombrará al constatar que la vida todavía puede tener sentido, que no corre un peligro tan grande, y que entonces ya no le será útil crear una presencia comiendo por dos. Además, ¿acaso no se ha sentido ya muy solo pese a estar rodeado de gente?

«Cuando mi marido murió —nos confiesa Olivia—, creí que no lograría superarlo. Le había conocido de joven, yo crié a los niños, pero no había trabajado prácticamente nunca. Gracias a una amiga, he encontrado un empleo en una editorial, donde he descubierto en mí unas cualidades y una destreza que no imaginaba tener.»

«Cuando estaba casada —nos cuenta Séverine—, me escondía detrás de mi marido. En sociedad, era él quien monopolizaba la conversación. Yo pasaba por ser alguien carente de interés. Después de nuestra separación, ya no tuve a nadie para esconderme, así que tuve que arriesgarme y me sorprendió constatar que podía captar la atención de la gente. Por su parte, las personas de mi entorno me han considerado de otro modo; algunas hasta me han dicho que no creían que yo fuera tan interesante.»

Hay terapias para combatir el miedo crónico. Así, las terapias conductistas proponen exposiciones progresivas en el tratamiento de las fobias, a fin de crear una habituación y un descondicionamiento del miedo. Por ejemplo, en el caso del miedo a los perros, el médico invitará al paciente a imaginar la presencia del animal y, gradualmente, le habituará a verlo en foto, luego a cierta distancia, acercándose cada vez más. A ello se añadirá el aprendizaje de técnicas apropiadas para atajar las manifestaciones de ansiedad en general. Las terapias psicoanalíticas, por su parte, luchan contra los orígenes de este miedo y el sentido oculto que tiene en la historia de la persona para facilitar su eliminación.

La tristeza

La tristeza es un elemento clave de la depresión, aunque a veces no se haga evidente en las depresiones enmascaradas (por ejemplo, la que se expresa únicamente mediante trastornos psicosomáticos tales como el aumento de peso). Pero también existe con independencia de la depresión. La tristeza es una emoción simple y pasajera, aunque también puede convertirse en duradera. Atestigua una falta o una pérdida, ya sea real, imaginaria o simbólica. Se puede haber perdido a un amigo, un animal, un trabajo, una ilusión, un ideal, o simplemente, y de manera provisional, las propias energías. La fatiga física y moral y la falta de sueño son factores que favorecen la tristeza. Se produce entonces un descenso de las capacidades de bienestar, ya que la tristeza lleva a encerrarse en uno mismo y a descansar lo necesario precisamente cuando se está cansado.

Evidentemente, también se puede estar triste sin saber por qué, y sentir una carencia afectiva sin saber precisar a qué se debe. Entonces es importante escarbar en el fondo de la propia tristeza para encontrar allí sus causas, ya sean recientes o antiguas, puesto que una tristeza actual, provocada por un acontecimiento cualquiera, puede, de hecho, derivarse de una tristeza más antigua que se ha despertado. La persona triste buscará en el alimento consuelo y calor para compensar el calor humano que necesita. Desplazará su búsqueda afectiva a los alimentos que decide comer. Y entonces el alimento reemplaza al afecto. El repliegue sobre uno mismo que la tristeza implica favorece un menor gasto energético. La acumulación de grasa como reacción a un estado de tristeza prolongada no es constante, pero es una de las respuestas emocionales del cuerpo, que expresa simbólicamente la necesidad de estar envuelto, arropado y protegido.

¿Que hacer?

Nuestra sociedad actual es poco tolerante frente a esta clase de emociones, aun cuando estén objetivamente motivadas (pérdida de empleo o ruptura amorosa) y lleven al individuo a enmascararlas.

De hecho, algunos creen que el mejor modo de luchar contra su tristeza consiste en hacer como si no existiera. La reprimen. Dejan entonces de lado este sentimiento sin permitirle expresarse, y de ese modo se engañan, ya que entonces la tristeza corre peligro de manifestarse de modo inesperado e inadecuado, como con risas descontroladas en un entierro o llantos sin razón en momentos que normalmente no son tristes. Además, una tristeza que se mantenga reprimida demasiado tiempo puede generar sobrepeso emocional.

Pero la tristeza no es del todo inútil. Pone freno al curso de una existencia que a veces se desboca. Permite reflexionar sobre uno mismo, concentrarse en aspectos de la propia vida, tomar conciencia de los propios errores y extraer enseñanzas de ellos. Así, gracias a la pausa que impone, el cuestionamiento que posibilita y la reorientación del propio modo de vida, puede prevenir la consolidación de un estrés crónico. Procurar contenerla cueste lo que cueste mediante alimentos o medicinas impide este reajuste y la evolución emocional que propicia.

A veces, a la tristeza hay que buscarla para sacarla a la luz y evitar su pernicioso impacto sobre el peso. Cuando uno está triste y ha encontrado la razón de ello, puede permitirse que sus lágrimas se derramen libremente. Sobre todo, no retenga nada, ya que, si no, cualquier cosa se transformará en kilos de más. Compadézcase a sí mismo: ello le evitará buscar consuelo en los alimentos; y confíe en el futuro.

Así pues, el medio de abandonar la tristeza consiste en dejar que se exprese, en buscar sus orígenes actuales y pasados, en consolarse como si estuviera consolando a un amigo, y en utilizar cada parcela de energía positiva conservada o resurgida para dirigirse hacia aquellos pensamientos, acciones y personas que son fuentes potenciales de mejora de nuestra situación y bienestar.

El hastío

El aburrimiento o hastío es ociosidad, cansancio y falta de interés. Es una vivencia penosa. Aburrir a alguien es irritarlo, contrariarlo; pero aquí es a uno mismo a quien se irrita. Estamos a la espera de algo sin saber exactamente qué. Es una parálisis de los deseos y de las iniciativas en todos los ámbitos. Hasta la imaginación o las fantasías desertan del espíritu. Existe una inhibición a pensar y a soñar. A veces, cierta forma de nostalgia y de pesar ocupa el terreno del hastío. El disgusto es casi una constante. Ninguna de las actividades acostumbradas proporciona placer. El hastío lleva a no hacer nada, ya que nada resulta atractivo, lo que puede ser útil en períodos de convalecencia para aliviar las heridas y reconstruirse reflexionando sobre uno mismo.

Para quien siente hastío, el tiempo adquiere un ritmo pesado, parece coagulado. Lo vemos pasar. Ésa es justamente una de las razones de ser del hastío, ya que éste es un mal del que se puede sacar provecho: el objetivo inconsciente de quien siente hastío es intentar ralentizar el tiempo, suspenderlo. Con ocasión de un acontecimiento o de un cambio de vida drástico (adolescencia, matrimonio, separación, jubilación, etcétera), por previsible que éste sea, el trastorno es tal que la psique considera que las cosas han ido demasiado rápido, que el tiempo ha adquirido una aceleración demasiado grande con respecto al ritmo acostumbrado. Entonces necesitamos tiempo para adaptarnos a la nueva situación, y el hastío nos lo concede. Estirando el tiempo, vuelve a poner los relojes en hora. Sentir hastío es, creo, una tentativa inconsciente de dominar el tiempo que pasa volando. Sentirlo pasar le proporciona un carácter más concreto, más perceptible, con la vana esperanza de pararlo, de «matar» el tiempo. Es también una muralla contra esa otra emoción penosa y susceptible de provocar sobrepeso emocional que acabamos de analizar: la tristeza. El hastío, en efecto, adormece el espíritu e impide la irrupción de cualesquiera pensamientos o ideas, en especial los pensamientos sombríos y las ideas negras.

Por último, la razón de ser del hastío es también la de hacer de muralla contra la angustia frente a la muerte, una angustia que he constatado muy frecuentemente entre las víctimas crónicas del hastío. Esa angustia se despierta de manera natural durante los cambios de vida, ya que entonces se da la ocasión de tomar conciencia de la finitud de las cosas. La paradoja es que el aburrimiento, el hastío, puede resultar mortífero cuando llega al extremo de la inmovilización intelectual, afectiva y motriz. Al aburrirse «como una ostra», uno «se hace el muerto». O quizá, dado que quien está muerto ya no puede morir, al sentir hastío uno trata justamente de hacerse el muerto para no serlo.

La acción del hastío sobre el peso

El hastío es una causa frecuente de sobrepeso emocional. Comer es una forma de llenar una existencia que parece vacua, una manera de distraerse: «A veces me siento como una vaca que se aburre, que mira pasar los trenes mientras pace», nos confiesa Isabelle.

También es una percepción penosa contra la que el individuo intenta luchar mediante la búsqueda de sensaciones, y, en especial, mediante las ingestas alimentarias, tanto si proporcionan placer como disgusto.

El hastío le hace a uno menos móvil, y ese estancamiento físico entraña un balance calórico favorable al aumento de peso.

Por último, aparte de estos diferentes factores, y con una aportación calórica constante, el sentimiento prolongado de hastío probablemente induce una acumulación de grasa por reacción emocional. En efecto, el individuo que siente hastío durante un período largo adquiere una imagen modificada de sí mismo, al tiempo que se disipa la percepción de sus propios límites. Al estar desinteresado respecto a su entorno y al mostrarse menos activo, su interacción con el mundo externo se reduce, y, paralelamente, también pierde interés por su mundo interno (pensamientos, imaginación…). A causa de esta parálisis de las interrelaciones internas y externas, los límites entre el interior y el exterior de la imagen inconsciente de su cuerpo se vuelven más difusos. De ahí se deriva un aumento de volumen posibilitado por una menor contención psicológica y por la necesidad de la psique de hacer más pesado el cuerpo de una identidad que parece flotante.

Cómo luchar contra el hastío

Dado que este particular malestar que es el hastío no carece de fundamento, vale la pena emplear el tiempo que nos ofrece en no hacer nada de lo habitual. Aproveche para hacer cosas que no se atrevía o no pretendía hacer hasta ahora…, o simplemente para no hacer nada. Pero no hacer nada no es comer todo el tiempo. Es renunciar al «hacer» en favor del «ser»: ser pensante, ser soñador, hablador, observador, o incluso permanecer a la escucha.

Luchar contra el hastío requiere tomar conciencia de nuestras propias motivaciones soterradas. Y también aceptar enfrentarse a la angustia del paso del tiempo y de la muerte. Ello implica mantener una reflexión personal y una interrelación tanto sobre este tema como sobre el sentido de la vida con personas dedicadas a este tipo de reflexiones o por medio de soportes filosóficos (documentales, libros, etcétera).

Asimismo, requiere movilizar el propio imaginario, buscar recuerdos agradables y prestar atención a los sueños. El deseo renacerá si dirigimos la atención hacia nuestro mundo interno, y no sólo si nos esforzamos en participar en mil y una diversas actividades.

El hastío puede testimoniar un período de transición en la construcción de la personalidad y en la historia personal; por otra parte, no es casual que esté tan presente en la adolescencia. En ese período es el heraldo de nuevos gustos y nuevos centros de interés. Asimismo, lleva a buscar actividades nuevas, a tomar caminos insólitos para sentir placeres inéditos, lo que presenta un gran interés de cara a la reconstrucción de uno mismo. En este caso, anticípese a la jugada y decídase a abordar temas o actividades que hasta ahora apenas le inspiraban, o incluso le repelían, simplemente por probar.

La ansiedad

Si el miedo es una reacción frente a un peligro presente e inmediato (por ejemplo, una serpiente), la ansiedad corresponde a la anticipación de un acontecimiento real o imaginario. Puede ser permanente (todo el día) y hacerse crónica. Sus formas de expresión son variables: trastorno de ansiedad generalizada (TAG), fobia social, angustia de separación...

En el TAG, la ansiedad está presente en cualquier ocasión. Es permanente y lo impregna todo. Como es fácil imaginar, si nos impulsa a comer para apaciguarla, la aportación calórica puede ser muy importante al final del día. La fobia social se caracteriza por una timidez enfermiza asociada al temor a ser juzgado por todo el mundo. Lleva al repliegue sobre uno mismo y al aislamiento, un factor de aumento de peso. En sociedad, invita de forma natural a comer para mantener la compostura.

En la angustia de separación, la ansiedad puede aparecer en

cualquier ocasión en que la persona-recurso (amigo, amor, pariente) se halle ausente. Invita a picar para calmarse, pero también porque el alimento pasa a representar simbólicamente a aquellos a quienes se necesita.

Si la educación que uno recibe desempeña un importante papel en la construcción del sentimiento de seguridad interior, o en la transmisión de mecanismos de defensa contra las angustias, probablemente haya también factores hereditarios, genéticos, que nos hacen más o menos ansiosos. Y también intervienen las hormonas. Así, como ya hemos visto, la pubertad, el embarazo o la menopausia son períodos de cambio de nuestra reactividad frente a toda clase de miedos.

La ansiedad y el peso

La ansiedad es una importante fuente de aumento de peso. Actúa sobre el comportamiento alimentario, favoreciendo la hiperfagia.

Se han explorado diversas razones afectivas que explican el vínculo entre la ansiedad y el aumento de peso: alimentación sistemática de los niños tensos para calmarlos; impregnación en la memoria del carácter agradable, tranquilizador y apaciguador de las comidas que se tomaban de niño en familia... La explicación fisiológica remite a los aportes alimentarios necesarios para la fabricación de neurotransmisores como la serotonina o la tiramina. Pero el primer efecto ansiolítico es, simplemente, la subida de la glucemia desde las primeras ingestas alimentarias.

La ansiedad es también una importante fuente de sobrepeso emocional, que se producirá a lo largo del tiempo, o, de forma más aguda, con ocasión de episodios de ansiedad transitorios, pero intensos. Señalemos que en algunas personas la ansiedad permanente, no canalizada, quema las grasas, pero en tales casos, además de su impacto psicológico, ésta tendrá un efecto pernicioso sobre ciertos órganos (aumento de la frecuencia cardíaca, pico glucémico que altera los vasos sanguíneos, úlcera digestiva, etcétera).

Cómo protegerse de la ansiedad

No todos somos iguales frente a la ansiedad. Ésta se halla vinculada a factores externos; en efecto, en función de su entorno, cada uno debe enfrentarse a amenazas más o menos importantes. También está vinculada a factores internos; así, determinados factores genéticos explicarían que tal persona sea más o menos susceptible a la ansiedad. Pero el nivel de ansiedad se halla también correlacionado con factores de desarrollo. Durante el crecimiento cada individuo establece mecanismos psicológicos de defensa contra la angustia gracias a sus recursos psíquicos propios, pero también con arreglo a los modelos que se le ofrecen (el modo en que sus padres regulan su propia ansiedad) de la educación y de la seguridad afectiva recibidas.

Para hacer frente a un estado de ansiedad, conviene buscar apoyos externos: por ejemplo, confiándose a los amigos o modificando el modo de vida. Y hay que movilizar los recursos internos recordando, por ejemplo, éxitos pasados en circunstancias análogas o estimulando la creencia en uno mismo. Asimismo, hay que formular hipótesis positivas para contrarrestar las hipótesis negativas que son fuente de ansiedad. Nos distanciaremos de las experiencias negativas del pasado que alimentan la ansiedad de hoy, para considerar el hecho de que las circunstancias actuales son diferentes.

Si hay una situación o un peligro que afrontar, hágalo por etapas. Descomponga las tareas que debe realizar y planifique su cumplimiento paso a paso. Actúe de manera gradual, sin pensar en el conjunto de todas las consecuencias imaginables.

Frente a los demás, deje de creerse el centro del mundo y, en particular, de las miradas y las críticas. No olvide que la gente se preocupa primero de su propia imagen antes de fijarse en la de los demás. Deje de tener miedo a no ser amado, y pase a ocuparse primero de saber quién le gusta o quién le interesa a usted, y luego diríjase a esa persona asumiendo el riesgo de desagradarle; de todos modos, raramente desagradamos a las personas que nos parecen interesantes o formidables. Por su parte, mantenga un espíritu abierto, absteniéndose de emitir comentarios mordaces y negativos sobre personas a las que no conoce realmente. Deje de juzgarlo todo por norma. Y si no es capaz de abstenerse de ello, y en particular de juzgarse a sí mismo, pregúntese por el origen de esa actitud. Haga un recorrido por su pasado para ver quién de su familia se comportaba así con usted, consigo mismo o con los demás.

Utilizar el razonamiento

El razonamiento es un buen instrumento para luchar contra la ansiedad, desechando, por absurdo, el carácter de extrema gravedad y de certeza que atribuimos a las posibles consecuencias de todo lo que hacemos. La ansiedad es habitualmente el temor a un peligro real o imaginario que nos amenaza a corto o a largo plazo. Para combatirla, se trata de considerar mentalmente este peligro como una simple hipótesis. «No hay que ponerse nunca en lo peor», decimos con razón, y, aunque al final ocurra lo que usted teme, piense que probablemente será menos dramático de lo que imaginaba, ya que la ansiedad modifica la forma de pensar y hace que se sobreestime tanto la gravedad de los peligros como la probabilidad de que sobrevengan.

También podemos engañar a la anticipación ansiosa aceptando la idea de que nuestra visión del futuro se forja a través del prisma del presente, y, en consecuencia, es falsa. Así, una mujer que vive en pareja y es desgraciada en su hogar se angustia ante la idea de que la dejen, porque le da miedo haber dejado de gustar a los hombres y acabar su vida sola, y prefiere una mala compañía a la soledad. Más aun si en los últimos años ha ganado varios kilos. Pero eso equivale a olvidar que hoy su visión de los demás está sesgada por su vida de pareja. Ni los otros la conciben, ni se concibe ella misma, más que como miembro de esa pareja. Sin embargo, si estuviera libre, cambiarían su modo de ser y la forma en que los hombres la mirarían. En cuanto a su peso, posiblemente se deba al sobrepeso emocional adquirido por culpa de una existencia insatisfactoria, y que una nueva vida podría disipar.

Exponerse a la ansiedad

Otra técnica es el cara a cara. Se trata de afrontar la propia ansiedad sin actuar, dejándola estar, contentándose con sentirla sin tratar de luchar contra ella. Al no haber barreras para contenerla, la veremos dispersarse y su presión se reducirá, en vez de crecer, como podríamos haber temido. No intente, pues, desechar sus pensamientos ansiosos: déjelos retozar en su espíritu, ya que, cuanto más trate de oponerse a ellos, más reforzados saldrán.

En un segundo momento, podrá llegar a provocar la ansiedad en su propio terreno, exponiéndose de forma voluntaria a situaciones habitualmente susceptibles de generarla (por ejemplo, saliendo de casa, en el caso de las personas cuyo nivel de ansiedad aumenta en el exterior). Una vez que se halle en la situación que genera ansiedad, espere a que el nivel de ésta disminuya antes de salir de dicha situación. Obviamente, como paso previo habrá definido ya las situaciones en las que la ansiedad es más elevada. Se habla entonces de «exposición progresiva a la ansiedad», con el fin de insensibilizarse frente a ella, y eso a fuerza de enfrentarse repetida y progresivamente a los factores ansiógenos (generadores de ansiedad). Una exposición repetida y regular (diaria) permite obtener un descenso permanente del nivel de ansiedad.

Hay también otras técnicas, como la de centrarse en el estado presente —en especial, el de las sensaciones corporales— de todo nuestro aparato sensorial; es decir, estar atento a lo que se ve, se oye, se siente, se toca… Así, nos quedamos con lo concreto de las percepciones y evitamos los pensamientos negativos y poco realistas que hacen que nos angustiemos. Se trata de vivir realmente al día y no en un futuro próximo o lejano, siempre desconocido, y, en consecuencia, siempre angustioso para una persona ansiosa.

Descubrir las raíces de la ansiedad

Pero incidir sobre la ansiedad por estos métodos no es óbice para buscar sus posibles raíces en nuestra historia personal. ¿Cuándo empezó? ¿Qué cosas nos angustiaban de niños? ¿Quiénes nos calmaban y de qué manera? ¿Quién era ansioso en nuestro entorno? Comprender los mecanismos de instalación de nuestra naturaleza ansiosa ayuda a desmontarlos. Y ello porque, a menudo, quien tiene miedo en nuestro interior no es realmente nuestro ser actual, sino alguien de nuestra familia de quien somos el portavoz, o bien aquel que nosotros fuimos cuando éramos niños. Se trata entonces, gracias al distanciamiento que permite la psicoterapia, de despegarse de la verdadera víctima de la ansiedad.

No siempre es fácil descubrir nuestros miedos, ya que un

miedo puede esconder otro. Así, he podido constatar que el miedo a las arañas puede remitir, mediante correspondencias simbólicas e inconscientes, al temor respecto a la intimidad sexual con las mujeres. Las terapias psicoanalíticas atacan sobre todo la raíz del mal, centrándose en la búsqueda de los miedos infantiles, de su evolución o del papel que desempeñan en los miedos adultos. Estas terapias están particularmente indicadas en los casos de trastorno de ansiedad generalizada, donde existe un fondo continuo de inseguridad, pero también en las angustias de separación.

La cólera

La cólera, que se expresa en forma de irritación, arrebato, exasperación, impaciencia, indignación, irritabilidad o furor, es una reacción violenta y agresiva debida a un profundo descontento.

Este descontento está provocado por el sentimiento de ser alcanzado, herido o agredido no sólo externamente, sino a menudo también en nuestro ser más profundo, con ocasión de una situación vivida como peligrosa, injusta o degradante. La cólera se halla, pues, muy unida a nuestra subjetividad, al contrario de una mera reacción física.

La cólera funciona por medio de crisis, pero también existen estados de cólera prolongados que configuran temperamentos calificados con términos tales como «agresivo», «agrio», «ácido», «desabrido», «acerbo», «acre», «arisco», «borde», «mordaz», etcétera.

Durante siglos, y según las teorías de Hipócrates, el célebre médico de la Antigüedad, los temperamentos se han definido en función de los denominados «humores». Así, los «coléricos» o «biliosos» segregaban demasiada atrabilis, y clásicamente se los

describía como personas delgadas. Y de hecho, en español «cólera» y «bilis» son sinónimos, lo que constituye un primer testimonio de las reacciones físicas que acompañan a esta emoción.
Contracciones musculares, agitación, aumento de la frecuencia
cardíaca, dilatación pupilar, contracción de las cuerdas vocales,
etcétera, son los signos físicos de una emoción que aparece desde el nacimiento. Pero por detrás de estos impactos físicos, tienen lugar modificaciones biológicas, en especial secreciones de
hormonas y de neurotransmisores, en particular la secreción
de adrenalina, que tonifica y predispone a la acción, y que a priori tiene un efecto «desengrasante» en el sobrepeso emocional. La
función de estas señales físicas es la de prepararnos para el combate y manifestar al otro nuestros sentimientos, poniéndole en
guardia. Pero permite también revelarse a sí mismo esta emoción, ya que no siempre se es consciente de sus diferentes percepciones a fuerza de negarlas.

Los efectos de la cólera sobre el peso

Aunque por un lado sea «mala consejera», en compensación la
cólera tenderá más bien a quemar calorías y a ejercer un «efecto
tentempié». Lejos de inducirnos a picar, la cólera nos devora a
nosotros. Nos exalta, nos saca de nosotros mismos (o, cuando
menos, de nuestras «casillas»), nos desboca, nos desenfrena, y,
precisamente por ello, puede resultar transitoriamente liberado-
ra para una personalidad parapetada en sí misma hasta el punto
de sufrir por ello. Por eso se habla también de cólera «sana».

Sin embargo, el carácter provisional de esta emoción no induce cambios profundos. Y las repercusiones de la cólera pueden anular sus efectos, ya que las respuestas del entorno suelen
ser críticas, y no sólo en el caso de una cólera bestial, loca o
incontrolable. Y la mala imagen que la persona da a los demás,

así como a sí misma, despierta emociones negativas que rozan la culpabilidad y que pueden llevar a acumular grasas o a sobrealimentarse.

De hecho, es una emoción que se cuenta entre las más reprobadas, al contrario, por ejemplo, de la tristeza, la alegría o el asombro. Ahora bien, cuando la cólera resulta constreñida, contenida, reprimida, larvada o silenciada, es cuando nos es más nefasta por los kilos que nos hace acumular. También es cierto que hoy en día se anima a la gente a no contener su cólera, hasta el punto de que quienes lo hacen se sienten culpables. En suma, pues: expresada o reprimida, la cólera es sistemáticamente condenada. Ya sea constreñida de forma voluntaria o por causa de la educación recibida, algunas veces también puede serlo cuando no se la reconoce como tal. Será entonces parcialmente reprimida y sublimada en un seudohumor más o menos irónico y, sobre todo, cínico o amargo. También se puede anular psíquicamente y transformarse en aparente indiferencia. A veces, por desgracia, suscita un repliegue sobre uno mismo. Estos dos últimos casos, especialmente el segundo, favorecen una somatización acompañada de almacenamiento de grasa.

Cuando se la reprime, la cólera se ve reemplazada por el odio, y, en segundo término, como toda emoción almacenada, se concreta en grasa. A veces constituye una tentativa para no entrar en una fase de tristeza. Así, por ejemplo, hace tres años Paul dejó a Christelle por una compañera de trabajo. Desde entonces, Christelle siente hacia ese hombre al que tanto amaba una cólera que apenas disminuye con el tiempo. Dirige también esa cólera contra sí misma, y los kilos que acumula desde entonces representan la huella de esa guerra sin cuartel. Su cólera le impide abandonarse a la tristeza, una etapa indispensable para reconstruirse afectivamente, e impide asimismo que el amor por otro hombre germine de nuevo en su corazón.

¿Que hacer?

De ahí la importancia de no dejar que la cólera se instale en nosotros durante demasiado tiempo. En un primer momento, procure reducir todos los potenciales factores de cólera que pueda haber a su alrededor. Escoja actividades agradables. Rechace las propuestas que le cuestan demasiado esfuerzo, tanto en el ámbito profesional como fuera de él. No asuma nuevas responsabilidades, que serían potenciales fuentes de conflicto.

Para que no nos provoque sobrepeso emocional, es aconsejable no sofocar sistemáticamente la cólera, ni, por supuesto, exteriorizarla de manera violenta sin freno alguno. Lo ideal es verbalizarla, formulando lo que se siente ante un ataque o una situación. Dado que no siempre es fácil hacer eso al calor de la emoción, no vacilemos en expresarlo en un segundo momento, aun a riesgo de que parezca «recalentado». Si nos entrenamos en hacerlo, más adelante llegaremos a expresar las cosas en el momento justo. También resulta aconsejable realizar en un segundo tiempo alguna actividad física (correr, practicar aeróbic o un deporte de combate...), así como técnicas de relajación.

No debemos mantener la cólera reprimida en nuestro interior. Tenerla prisionera nos hace correr el riesgo de convertirnos en sus prisioneros. Pero tampoco hay que manifestarla de una manera demasiado directa y explosiva con insultos o amenazas. Lo más sano es encontrar un interlocutor privilegiado que pueda oírnos expresarla sin echar leña al fuego, ni desaprobarla, culpabilizándonos por estar coléricos. En su defecto, reparta ese papel entre varias personas de su entorno.

Para evacuar esa cólera sin que le resulte dañino, dele rienda suelta en su pensamiento. Imagínese diciéndole lo que le sale de dentro a la persona afectada, o incluso puede decirlo en voz alta delante de una foto de esa persona. Imagínese la escena en la que usted se expresaría sin trabas (y sin interrupciones) para decirle cuatro verdades. Utilice también la escritura: escribir proporciona un distanciamiento y una reflexión que la comunicación oral no permite. Escriba su cólera, y, si no desea que quede rastro de ella, luego no envíe la carta. Lo esencial no es que llegue a su destinatario, sino que usted se sienta aliviado. Los artistas en ciernes o ya consagrados se benefician de un medio de lo más adecuado para sublimar su cólera: a saber, transformarla en energía creadora.

Ciertos deportes aprovechan la energía de la cólera para expulsarla de un modo sano: los que favorecen el cuerpo a cuerpo, como los deportes de combate (lucha, boxeo, artes marciales, etcétera), o los que permiten desfogarse (cama elástica, trapecio volante, *puenting*, *jogging*, danzas africanas, patinaje, etcétera). Al igual que la cólera, los deportes enérgicos liberan adrenalina; pero en un segundo momento inducen también la producción de endorfina: ésta acelera el sistema parasimpático, que relaja, reduce la frecuencia cardíaca y la tensión arterial, lo que no se produce espontáneamente en el caso de la cólera.

Tenga en cuenta asimismo que la expresión de la cólera no basta. Conviene diferenciar las cóleras justificadas de las que no lo son, con el fin de analizar el impacto de estas últimas. Y también es importante comprender por qué a veces una situación objetivamente insignificante nos pone en tal estado.

Por último, el humor es una forma sana de canalizar la cólera. Hay que reírse, solo o con los amigos, de aquellos que desencadenan nuestra cólera. También es necesario burlarse de sí mismo y de la persona en la que uno se convierte al calor de esa emoción. Pero el método más perfecto para salir de ello es dejar aflorar las lágrimas, a fin de disminuir la presión e inducir secreciones internas con virtudes tranquilizadoras.

Los celos y la envidia

La envidia es el dolor de ver a otro gozar de lo que nosotros deseamos; los celos son el dolor de ver a otro poseer lo que antes poseíamos nosotros. Son dos tipos de emociones negativas que avivan la cólera. Uno envidia la felicidad que ha encontrado su ex; siente celos de quien ahora disfruta de él o de ella; siente celos de él o de ella cuando los hijos le reclaman, y envidia a todas las parejas dichosas de la tierra. Esta envidia la justificamos mediante el concepto de justicia: «¡No es normal que a mí me haya hecho sufrir y que ahora sea feliz con otra persona!» Pero afecta también a quien abandona a su pareja para luego envidiarla por haber encontrado la felicidad con otra persona.

Detrás de la envidia hay resentimiento, pero también deseo. La envidia puede ser interesante si constituye un factor de emulación para nosotros, ya que la felicidad del otro nos muestra que también nosotros podemos encontrarla. Pero a menudo se trata de una envidia sustentada en un sentimiento de inferioridad[1]. Y también en el temor: el de no encontrar una nueva felicidad equivalente a la suya.

¿Cómo liberarse de la envidia?

Para liberarse de esa envidia que corre el peligro de corroernos y de transformarse en ansia de comer, ante todo hay que reconocerla como tal. Luego tenemos que descubrir todos los sentimientos que encubre en nuestro interior: por ejemplo, después de una pena de amor, el miedo a quedarse solo, la vergüenza de no haber sabido conservar ese amor, la tristeza de no ser ama-

---

1. «Envidiar es reconocerse inferior», Plinio el Joven, principios del siglo II.

do ya por la otra persona, la duda sobre nuestra propia capacidad de seducción, el remordimiento por haberla dejado...

Luego hay que procurar identificar claramente los deseos personales que enmascaran la envidia que se siente hacia esa persona o hacia otras; por ejemplo, uno desea poder apreciarse de nuevo a sí mismo, dejar de sufrir por esa separación, recuperar la alegría de vivir, encontrar a alguien que le quiera y a quien querer.

Por último, tenemos que relativizar la desgracia que nos proporciona la felicidad del otro: ¿le aportaría lo que usted desea el hecho de que la otra persona no fuera feliz o hubiera dejado de serlo?

Remordimiento y arrepentimiento

He aquí dos tipos de emociones primas hermanas que no siempre se sabe diferenciar bien. Son grandes proveedoras de sobrepeso emocional, dado que se vuelven fácilmente crónicas —a veces duran toda la vida— y que pueden aumentar con el tiempo.

El remordimiento es una emoción dolorosa causada por la conciencia de haber obrado mal. Si por lo general se escribe el término en plural, posiblemente sea porque a menudo viene asociado a alguna otra cosa y se convierte con facilidad en «remordimientos». ¿O bien es porque nos llama al orden no una, sino varias veces, repitiendo su «mordedura» en el corazón cada vez que intentamos olvidarlo? Muerde y vuelve a morder, pues, en virtud de su propia naturaleza.

Puede tratarse de faltas que otros encontrarían benignas, o con respecto a las cuales se juzgaría que habían prescrito, pero que uno mismo no olvida ni se perdona. Entonces el individuo se convierte en su propio juez, y puede mostrarse muy severo consigo mismo. El remordimiento asfixia, envenena. Uno está «lleno» de remordimientos, le «comen» los remordimientos,[1] y evoca fácilmente el «peso» de los remordimientos. Cuando corroe y cuando devora, el remordimiento puede hacer que ciertas personas se desmejoren. O bien, por el contrario, se puede luchar contra esta combustión interna mediante una aportación calórica suplementaria y un almacenamiento emocional de grasa.

Aprenda a relativizar sus faltas presentes y pasadas. Deje de ser más juez que los propios jueces, y no se condene a sí mismo a cadena perpetua o a sentirse eternamente invadido por los remordimientos. Evalúe con objetividad lo que ha hecho mal y busque al menos algunas circunstancias atenuantes. Por último, piense asimismo en todo el bien que haya podido hacer a su alrededor, así, aunque no la borre, por lo menos aliviará su falta.

Si no puede evitar que los cuervos del remordimiento vuelen sobre su cabeza, por lo menos sí puede impedirles que hagan su nido entre sus cabellos. Para eso, lo primero que hay que hacer es verbalizarlo. Pero tampoco demonice demasiado ese remordimiento. Puede serle útil y constructivo, salvo, evidentemente, en el caso de que sea excesivo. Si ha causado un daño a alguien, pida perdón. Por otro lado, puede que su conducta de aquel momento tuviera un fondo de justificación; por ejemplo, si rompió una relación amorosa, seguramente no lo hizo sin razón. Pedir perdón no significa que su decisión de entonces no tuviera razón de ser, sino que, en cambio, usted es capaz de tener en cuenta el sufrimiento del prójimo, y que éste le importa. Pese a su arrepentimiento, no es en absoluto seguro que se le perdone, pero en cualquier caso habrá hecho bien. Nada le im-

---

1. Una «comida» que puede traducirse, más que en una conciencia llena de remordimientos, en un estómago lleno de alimentos.

pide tampoco perdonarse a sí mismo sin tener que esperar para ello el perdón del otro.

Es fácil denigrar las actitudes caritativas de los que quieren redimir su mala conciencia. Pero ¿qué tiene de vergonzoso comportarse de modo altruista? ¿O realizar buenas acciones para redimirse de conductas por las que sentimos remordimientos? Como contrapunto, acuérdese de quienes le causaron una herida en otro tiempo y aproveche la ocasión de este trabajo consigo mismo para perdonarles. Entonces le resultará más fácil perdonarse a sí mismo por el sufrimiento que haya causado a otros, y le aliviará de embarazosos rencores. Sobre todo el remordimiento resulta constructivo para uno mismo en este aspecto.

Y si todo eso no bastara, considere que ese remordimiento que le pesa desde hace tiempo es ya bastante castigo, lo que hace injustificable cualquier nuevo remordimiento en lo sucesivo.

¡Pero cuidado!: algunas personas que no tendrían por qué avergonzarse de su comportamiento tienen una personalidad propicia a sentirse culpables, y, en consecuencia, experimentan remordimientos cuando determinados manipuladores les convencen de que son los responsables de todas sus desgracias, con el fin de poder explotar en provecho propio el remordimiento así generado. Aprenda a descubrir a esos manipuladores y humilladores… para rechazarlos definitivamente sin remordimiento alguno.

En cuanto al arrepentimiento, éste suele presentarse en grupos. Si el remordimiento concierne a lo que se ha hecho, el arrepentimiento afecta sobre todo a lo que no se ha hecho. En el menor de los casos equivale a un cierto descontento, y en el mayor, a un gran pesar por no haber podido realizar algo determinado. También tiene que ver con las expectativas que no se han visto realizadas. Nos lamentamos por las alegrías que habríamos podido tener. A veces, un arrepentimiento oculta otro, o bien se alimenta de un arrepentimiento más antiguo. Tómese el trabajo de analizarlos para percibir aquello que realmente se arrepiente de no haber hecho, y saber si, en el caso de haberlo hecho, su existencia actual habría cambiado de verdad. Pero, sobre todo, pregúntese si haber hecho aquello que se arrepiente de no haber hecho no le habría privado de otras alegrías que sí ha podido vivir.

Los arrepentimientos no carecen de interés, ya que proporcionan un cierto distanciamiento con respecto a la vida. En efecto, las desilusiones ayudan a trascender las apariencias. Sin embargo, resulta perjudicial dejarse invadir por ellas, ya que inducen un sobrepeso como consuelo.

Para minimizarlas, podemos hacer un trabajo de memorización de todas nuestras expectativas de otro tiempo, y que entonces nos parecían inalcanzables, pero que finalmente pudieron plasmarse. Recuerde su éxito en aquel examen o en aquella entrevista de trabajo, aquel encuentro amoroso, aquella amistad que nació de un encuentro totalmente insólito, aquel piso encontrado cuando empezaba a desesperar de poder hallar una vivienda adecuada… Todos estos momentos de tranquilidad, de bienestar, de alegría, por más que ya hayan pasado, fueron suyos y le pertenecen para siempre jamás.

En segundo lugar, frente a lo que no hemos podido ver realizado, conviene contemplar lo que es realizable. ¿Cuáles son sus deseos para los próximos años? Enfoque el futuro con nuevos deseos, a poder ser más realistas, y en todo caso más conformes con sus expectativas actuales y con la persona en la que se ha convertido. No deje que aquel que era antes ocupe todo el espacio de su espíritu. En lo sucesivo, piense en la persona que es hoy, y ocúpese de su bienestar para minimizar los arrepentimientos del mañana.

El sentimiento de vacío

«A veces me siento totalmente vacía —me confesaba Laurence, y aclaraba—: No me siento triste, sino falta de consistencia.» Muchos de nosotros hemos sentido esta impresión de vacío interior de forma pasajera, con ocasión de un estado de cansancio, un síndrome gripal, un momento de soledad o un bajón de moral. Sin embargo, algunas personas la experimentan con mucha frecuencia, o bien son víctimas de ella de manera continua.

Esta impresión es a la vez física y moral. Físicamente, es una sensación de no tener nada, ni en la cabeza ni en el cuerpo, de no sentir nada concreto en nuestro interior. Moralmente, tanto el ámbito del pensamiento como el de lo imaginario parecen estériles. «No tengo ganas de nada, nada me motiva», añade Laurence: también el ámbito del deseo parece desértico.

«La naturaleza aborrece el vacío», reza el dicho. El hombre también. El vacío que teme encontrarse bajo sus pies (a todos los demás mamíferos también les da miedo el vacío exterior), y su propio vacío interior. Ya hemos visto que, si el recién nacido se llena de alimento, también se llena de todo lo que captan sus sentidos (ruidos, luces, olores, sensaciones táctiles…) y que adquirirá significado en músicas, palabras, imágenes, perfumes y relaciones físicas. Luego nos llenamos de saber, de cultura y de amor. A todas las edades, nos llenamos no sólo de lo que logramos captar del exterior, sino también de nuestras propias producciones internas: físicas (gases, movimientos de los órganos internos, tensiones musculares, etcétera) o abstractas (tensiones psíquicas, pensamientos, sentimientos, emociones, visualizaciones o imágenes mentales).

La falta de aptitud para alimentarse espiritualmente del exterior, o bien la falta de capacidad para elaborar abstracciones, induce estas sensaciones de vacío.

Orígenes diversos

La falta de imaginación es una de las principales responsables del sentimiento de vacío. La imaginación surge en una fase temprana del desarrollo del niño. Es probable que el recién nacido imagine ya el pecho de su madre o el biberón en su ausencia. Lo imaginario es una capacidad del cerebro humano, localizada en la corteza, que constituye la esencia misma de la creatividad. Está permanentemente vinculada al cerebro emocional. Casi desde el principio, los niños manifiestan una mayor o menor aptitud para imaginar.

Si bien es posible que existan diferencias congénitas, la imaginación de los niños se ve igualmente más o menos estimulada por el entorno, que la alienta y la valora, interesándose por ella, o, por el contrario, la refuta, la encuadra, o incluso la reprime. Pero los factores afectivos y morales son los principales frenos al imaginario. Y las carencias que hay que imaginar se deben ante todo a mecanismos de inhibición. Es como si el cerebro no dejara aflorar a la conciencia los productos de su imaginario. En efecto, aceptar imaginar es aceptar la circulación de pensamientos, de ensueños, de fantasías y de toda clase de ideas, de las que algunas pueden ser angustiosas o reprobadas por la moral individual. La inhibición ante la posibilidad de imaginar, de ensoñar, está causada sobre todo por la falta de tolerancia personal frente a las propias representaciones mentales. No es raro que esta constricción nazca en la adolescencia, en el momento en que el cerebro se ve invadido por nuevos pensamientos y deseos cargados de pulsiones agresivas o sexuales, así como por nuevos miedos.

Las carencias afectivas prolongadas durante la infancia son otro posible origen. Provocan un enfriamiento de los sentimientos y un sentimiento de vacuidad afectiva. He aquí el testimonio de Lucie: «No recibí amor de mis padres. Respondían a mis necesidades, me vestían, me compraban juguetes en Navidad y todo lo necesario al inicio de cada curso escolar, en lo material no me faltaba de nada, pero siempre los sentí afectivamente indiferentes. Era como si cumplieran un deber, una función paterna, pero yo no sentía ni calor ni amor. Tenía el estómago lleno, pero el corazón vacío».

Todas las formas de parálisis de la memoria son posibles causas de vacuidad psíquica. Y ello porque muchas emociones y pensamientos están vinculados a la memoria. Un trauma infantil, sea de la naturaleza que sea, puede bloquear conjuntos enteros de recuerdos de todo el período precedente. En efecto, para protegerse de él, la psique bloquea en general todos los accesos a la memoria. Pero también puede tratarse de un daño neurológico que provoque amnesias.

Diversas circunstancias pueden desencadenar malestares en esa persona, que reaccionará paralizando sus mecanismos como sistema de protección, pero que, en consecuencia, sufrirá un sentimiento de vacío.

Por último, veremos que los estados depresivos se asocian fácilmente a una vivencia de vacuidad interna. Varios factores se combinan entonces para causar dicha vivencia: pensamiento lento y torpe, imaginación agotada y trastornos de la memoria.

Sea cual sea el origen de estas deficiencias del imaginario, el individuo, al no poder alimentarse de cosas abstractas, se llenará de alimentos. Es una vuelta a lo concreto por falta de abstracción. Nos llenamos de alimentos hasta tener la sensación física de repleción gástrica. Y empezamos de nuevo tan pronto como dicha sensación se atenúa. No se trata de hambre ni de deseo, sino únicamente de la imperiosa necesidad de llenarse para luchar contra un sentimiento de vacío que se parece al terrible sentimiento de dejar de existir. Por una vez, comemos para poder vivir; pero lo hacemos sin hambre.

Obviamente, el tratamiento consiste en luchar contra lo que provoca este sentimiento de vacuidad para poder alimentarse de forma espiritual mediante aportes externos o producidos internamente.

¿Cómo llenar el vacío?

Hay que desarrollar el imaginario por todos los medios posibles. La lectura y las clases de teatro (en especial, las técnicas de improvisación) son, sin duda, los más clásicos. Ciertas técnicas de relajación son eficaces si el estrés es el que paraliza la irrupción de pensamientos y de emociones, a condición de que vayan asociadas a procedimientos de visualización: imaginemos escenas que nos gustaría vivir y visualicemos recuerdos antiguos o más recientes.

Si es usted creyente, obtenga alimento espiritual mediante lecturas, pero, sobre todo, por medio de encuentros.

Podemos levantar las inhibiciones del pensamiento mediante las psicoterapias de inspiración psicoanalítica. Y para quienes sufren de no poder acordarse de sí mismos, las técnicas de ensoñación y el psicodrama (representar personajes en interacción con un terapeuta y con otros pacientes) pueden revelarse eficaces.

Si el sentimiento de vacío tiene su origen en una depresión, hay que luchar contra ella (véase el capítulo «El sobrepeso de la depresión»). Podemos cambiar de contexto vital (mudanza, cambio profesional, inscripción en actividades diversas, etcétera) y recibir distintas formas de asistencia terapéutica: psicoterapias (psicoanálisis, terapia cognitiva) y/o medicamentos antidepresivos.

Cuando se trata de un sentimiento de vacío derivado de un trauma, también se impone el tratamiento de la causa. Los síndromes postraumáticos se tratan mediante técnicas de expresión oral y terapias de grupo, pero también con otras formas de psicoterapias individuales a las que pueden añadirse antidepresivos específicos.

Por último, podemos intentar recuperar la memoria mediante técnicas antiguas como la hipnosis, o —más reciente, pero también derivada de ella— la EMDR[1].

La alegría

La alegría es la emoción asociada con la satisfacción de una necesidad, de un deseo o de una aspiración. Se traduce en regocijo y buen humor. Como toda emoción, es un sentimiento de duración limitada. Las alegrías de una persona son sus buenos momentos, los placeres que algo le proporciona. Puede tratarse del placer de comer. Pero el placer, que puede resultar sospechoso, no equivale a la alegría, la cual es siempre noble.

Las alegrías del buen comer

Para algunos, comer es la principal fuente de alegría. Sin embargo, no es la alegría la que da origen al desenfreno alimentario, sino, por el contrario, la falta de ella. No es cuestión, pues, de vilipendiar el placer de comer, sino, por el contrario, de cultivarlo; es decir, de permitir su satisfacción asociándolo a alimentos que, en el plano dietético, contribuyan al mantenimiento de un peso satisfactorio.

---

1. *Eye movement desensitization and reprocessing* («desensibilización y reprocesamiento por movimientos oculares»): técnica terapéutica basada en la estimulación sensorial a través de los movimientos oculares.

En estas personas, más que en ninguna otra, la privación alimentaria está prohibida. Todo régimen debe preservar el buen gusto de los alimentos propuestos. Cultivar el placer de comer también significa añadirle otros placeres complementarios, como comer buenos alimentos, seleccionar entre los alimentos disponibles aquellos que ofrecen los sabores más sutiles, y, en suma, cultivar el paladar con el fin de pasar de un placer más basto a otro más refinado.

Actuar sobre el contexto de la ingesta alimentaria puede suscitar nuevos placeres complementarios que aportarán alegría. La diversificación de las fuentes de alegría durante la ingesta alimentaria permitirá limitar los aportes, si son excesivos, sin limitar la alegría experimentada. Por ejemplo, iniciándonos en el arte de la mesa descubriremos el placer de una mesa bellamente decorada, bien puesta, presentada con cubiertos agradables, que alegran las pupilas ya antes de que les llegue el turno a las papilas. Iniciándonos en el arte de la cocina, descubriremos el placer de la creación. Estas dos últimas artes abren el camino al placer de recibir y compartir la alegría del buen comer. Y una alegría compartida vale por diez.

Los aguafiestas

La alegría es una emoción que hay que acoger sin reservas y buscarla sin dudar. Su presencia aleja las emociones negativas susceptibles de producir sobrepeso emocional. Por otra parte, ya hemos visto que depende de neurotransmisores cerebrales que tienen un impacto favorable en el peso. Pero algunas personas tienen dificultades para estar alegres, ya que, a veces, la alegría da miedo.

Asusta a quienes no están habituados a ella desde niños, para los que representa una *terra incognita*. Son, sobre todo, quienes han crecido en un clima de inseguridad donde podía ocurrir lo peor sin previo aviso. Por desgracia, estos individuos se han convertido en prisioneros de una anticipación ansiosa que no tiene fin. Para no verse sorprendidos por la mala suerte, permanecen constantemente en guardia, y ponerse en guardia frente a todo es dejar escapar la alegría.

Asimismo, están los que ven la vida a través del prisma de una superstición seudo-religiosa que pretende que, después de una gran alegría, obligatoriamente sigue una gran desgracia; en suma, que toda alegría se acaba pagando. Esta manera de pensar afecta en especial a quienes asocian la alegría al pecado, confundiendo la alegría del corazón con los placeres del desenfreno. O sobre todo a quienes han crecido en un entorno en el que sentían que su bienestar resultaba sospechoso a los ojos de sus padres; a quienes estaban sometidos a una educación dominada por las imposiciones y las obligaciones, con el sentimiento probado o imaginado de que todo placer estaba prohibido, y, por fin, simplemente a quienes han crecido en un entorno desprovisto de alegría de vivir. Todos ellos deben tomar conciencia del origen de su contención y echarse a la piscina, ya que «la alegría prolonga la vida»[1].

La falsa alegría

Pasajero por definición, el sentimiento de alegría tiene un impacto real y beneficioso sobre el peso, siempre y cuando no esté sometido a una discontinuidad demasiado marcada. En efecto, los momentos de alegría breves y violentos, surgidos en un terreno minado de tristeza, al final acaban por no ofrecer más que

---

1. Eclesiastés 30, 16.

un magro provecho para la pérdida de peso. En el caso extremo, las personas ciclotímicas, que presentan alternancias de bienestar eufórico con una profunda tristeza o inquietud, se ven fácilmente sometidas a anárquicas variaciones de peso; entonces, para la psique el sobrepeso emocional es el medio de estabilizar una barca que parece oscilar a los cuatro vientos.

Desde luego, la alegría es tributaria del sufrimiento: cuando tenemos hambre, los alimentos que nos están esperando nos parecen aún mejores. De ahí la conveniencia de buscar una alegría que no esté vinculada sólo a la satisfacción inmediata de una carencia artificialmente creada, como una restricción alimentaria, seguida de un abandono glotón e intenso. Cuanto más extrema sea una alegría, más fugaz será. No hemos de aspirar a tener picos máximos de alegría, sino a un estado de alegría continuo y sereno, que es el más propicio para la pérdida del sobrepeso emocional. Una sucesión de pequeñas y sencillas alegrías tejerá una alfombra emocional sobre la que podremos soltar el lastre de nuestros kilos de más.

Hay que descubrir, pues, las situaciones susceptibles de proporcionar alegría, iniciarse en diferentes actividades o situaciones potencialmente generadoras de alegría, y, en cada ocasión que nos brinde la vida, hacer una lectura positiva de lo que nos sucede, es decir, identificar enseguida los puntos luminosos antes que la oscuridad general.

La alegría depende tanto de lo que somos como de lo que nos ocurre; no está en las cosas, sino en nosotros. Mientras que el entretenimiento afecta sólo a la superficie de nuestro ser y apenas tiene un pequeño impacto sobre la liberación emocional del sobrepeso, la alegría está en plena armonía con la vida interior y moviliza la imagen de nosotros mismos. Si usted se siente alegre, evite dejar de estarlo demasiado pronto como hacen algunos que no pueden abstenerse de pensar de inmediato en las preocupaciones del pasado o en los problemas del futuro. La alegría es una evasión fuera del tiempo; absténgase, pues, de llevar sus pensamientos más allá del presente. Por último, aprenda a recolectar las alegrías del mundo para envolver con ellas las suyas propias, poniéndose en situación de empatía con su entorno y con el cuerpo social. En una palabra, haga de la alegría su principal alimento.

9

El sobrepeso de la depresión

Quienes sufren de depresión tienen una mayor tendencia al sobrepeso. Diversos estudios recientes realizados en Estados Unidos confirman el estrecho vínculo que asocia obesidad y depresión, en particular en las mujeres, teniendo en cuenta otros factores tales como el nivel educativo, el estatus marital, la ingesta de antidepresivos o el consumo de tabaco. Al parecer, entre las mujeres con un diagnóstico actual o pasado de depresión, el riesgo de ser obesas es un 60% mayor que entre las que jamás han estado deprimidas. Las mujeres son mucho más susceptibles de sufrir depresión cuando son obesas, e, inversamente, la proporción de mujeres obesas se duplica entre las que sufren depresión[1]. Según otro estudio[2], realizado con unas quinientas personas en el norte de Francia, el 25% de las mujeres con sobrepeso u obesas están deprimidas, mientras

---

1. Según una investigación realizada en Estados Unidos entre 4.641 mujeres de edades comprendidas entre los cuarenta y los sesenta y cinco años.
2. M. Coeuret-Pellicer, M. A. Charles, J. M. Borys, A. Basdevant y el grupo de estudios FLVS, *Association between Obesity and Depressive Symptoms in General Populaton*, Observatorio de los Hábitos Alimentarios y del Peso, 2002.

que el porcentaje se reduce a sólo el 14% para las mujeres con un peso normal.

En cambio, entre los hombres no se ha evidenciado relación alguna entre sobrepeso y depresión. ¿Quiere esto decir que los hombres expresan su sufrimiento depresivo de un modo distinto al aumento de peso? Según los investigadores, las mujeres sufrirían más que los hombres afectados de sobrepeso las consecuencias morales de dicho sobrepeso. En el caso de estas últimas se trataría, pues, de un estado depresivo derivado de la obesidad, que los hombres vivirían de manera distinta.

Cómo actúa la depresión sobre el peso

El estado depresivo provoca una ralentización de todas las funciones psíquicas. Es una especie de hibernación. De hecho, la elaboración mental de una persona deprimida es muy inferior a la habitual, y eso en todos los ámbitos. Por otro lado, la infravaloración de uno mismo propia de los estados depresivos proporciona un sentimiento de insignificancia, acompañado del sentimiento de tener unos objetivos vacuos, de tener una existencia fútil, vacía de sentido. «Me sentía como una rueda que girara en el vacío», declaraba Annie a propósito de su reciente depresión. «Nada me importaba, y yo misma menos que nadie. Tenía mi propio habitáculo abandonado», me confesaba otra paciente.

Habitualmente, en el curso de una depresión, la pérdida del gusto por vivir viene acompañada de una pérdida del gusto por el alimento, y el apetito disminuye. Se echa mano entonces de las reservas (como en la hibernación), y lo normal es perder peso.

Pero hay estados depresivos que conllevan un aumento de peso justamente como un mecanismo de lucha contra la depresión y el consiguiente sentimiento de vacuidad, que lleva a comer más allá de las propias necesidades.

Asimismo, el aumento de peso está causado por una ralentización de las actividades físicas. Las personas deprimidas se mueven menos, se quedan más tiempo sentadas o en la cama. Ello explica no sólo la sensación de fatiga característica de la depresión, sino también un descenso generalizado de la motivación, el entusiasmo y el interés por toda clase de actividades. También es notable el hecho de que las personas con antecedentes de depresión tengan mayor tendencia a ser físicamente inactivas.

El estado depresivo favorece también un consumo excesivo de alcohol. Se trata de un aumento de las dosis entre quienes tienen la costumbre de consumirlo de forma moderada pero constante (vino en las comidas o un aperitivo por la tarde). O bien de ingestas intensivas, por crisis, que llevan a estados de embriaguez, tanto si se está solo como acompañado. El alcohol se utiliza entonces como una automedicación para luchar contra la ansiedad que a menudo acompaña a la depresión, pero también directamente contra el estado depresivo, ya que tiene el potencial de producir desinhibición y euforia. Por desgracia, además de sus otros efectos nocivos, el alcohol provoca un efecto rebote, es decir, que al día siguiente reactiva la misma angustia que había aplacado la víspera, y además a largo plazo tiene un fuerte potencial depresógeno (generador de depresión).

A veces, comer en exceso se inscribe en el marco de una conducta agresiva hacia uno mismo, una forma de autoagresión que se inscribe, a su vez, en el ámbito, más amplio, de la repugnancia hacia uno mismo que frecuentemente se observa entre las personas deprimidas. Explicaba Éva: «Comía cualquier cosa, sin placer, o en todo caso sólo por el placer de ensuciarme. Me comparaba con un vertedero de basuras». O con un «vertedero de botellas» en el caso de algunos, como Paul, que ahogaba su depresión con sus considerables ingestas de alcohol, que también fueron el origen de su sobrepeso.

Entre los otros mecanismos de aumento de peso derivados de un estado depresivo, citemos los episodios de hiperfagia bulímica, que son más frecuentes en esta categoría de población.

La regresión habitualmente forma parte de los estados depresivos prolongados. Resulta especialmente visible en las depresiones infantiles, en las que se observa cómo el niño vuelve a un estadio de desarrollo anterior: su nivel de lenguaje puede retroceder; se vuelve a hacer pipí en la cama cuando ya había adquirido la continencia; su nivel cognitivo retrocede, de lo que se derivan dificultades escolares; hace tonterías que ya no hacía... En el adulto, la regresión no se percibe de una forma tan evidente, si no es por el abandono a placeres poco elaborados, en especial el de consumir alimentos bastos y a menudo con un fuerte poder calórico. La persona deprimida renunciará a prepararse «buenos platos», y todavía más a prepararlos para los demás. Recuperará el gusto infantil por los platos feculentos, los productos lácteos, las golosinas...; en suma, todo lo que se traga y se digiere sin esfuerzo, los alimentos que apenas se mastican; que, más que mascar, se «maman».

La vivencia depresiva de las personas que hasta entonces ejercían un gran control sobre sí mismas conduce a un abandono aún más notable. Por otra parte, es ese mismo dominio excesivo de sí, demasiado costoso en energía psíquica, el que de entrada ha inducido la depresión. Esa «dejadez» se traduce especialmente en un comportamiento alimentario desenfrenado, que sobreviene tras un período de restricción cognitiva llevado con extrema rigidez.

No obstante, esta vivencia depresiva hace que ciertas mujeres se vuelvan más accesibles y disponibles. La depresión les confiere una mayor humanidad y deja aparecer una verdad interior enmascarada hasta entonces por comportamientos de fachada que no tenían otro fin que protegerla. Si la depresión no sólo es la ocasión para aceptarse a sí mismo y las propias fuerzas, sino también las propias debilidades, y si permite reducir las exigencias de un perfeccionismo tirano frente a uno mismo, entonces puede ofrecer un reequilibrio, con una vuelta a un peso estándar y un bienestar superior.

La depresión está ocasionada por una pérdida: de una persona (duelo, mal de amores, pérdida de un amigo), de un empleo, de un pasado (mudanza, adolescencia), de una identidad (adolescencia, menopausia, cambio físico debido a un accidente, etcétera), de los ideales, de las creencias, de las esperanzas, o, en las depresiones mayores, la pérdida de sí mismo (cuando uno ya no se reconoce). Comer, depender del alimento, es un modo de compensar «concretamente» esta pérdida real, imaginaria o simbólica.

Por último, el sobrepeso ocasionado mantiene el estado depresivo por la mala imagen que nos da de nosotros mismos, reforzando la infravaloración de uno mismo propia de dicho estado. Pero es también la actitud de rechazo hacia el entorno y hacia la sociedad la que acentúa aún más esa infravaloración y, por lo tanto, la depresión. La estigmatización de quienes tienen exceso de peso puede afectar a su autoestima y perjudicar sus esfuerzos en vistas a adelgazar.

Obviamente, la detección y el tratamiento de la depresión resultan primordiales antes de iniciar cualquier régimen, sea de la naturaleza que sea.

El papel de los medicamentos

Los tratamientos farmacológicos de la depresión pueden provocar a veces un aumento de peso. Aunque éste no es el caso —o lo es en escasa medida— de los antidepresivos que inhiben la recaptación de serotonina (Prozac, Casbol, Dumirox, Cipralex, Besitran, Cymbalta, etcétera), sí ocurre, en cambio, con los antidepresivos tricíclicos, que son los más antiguos y siguen teniendo una notable eficacia, pero que, por otra parte, pueden comportar un cierto aumento de peso. No obstante, hay que relativizar dicho aumento, ya que esos fármacos permiten la desaparición de los síntomas de la depresión, los diferentes factores propios de la enfermedad, y el aumento de peso que propician sirve también para su evacuación.

Ciertas depresiones se inscriben en el marco de los trastornos bipolares. Son depresiones que evolucionan por ciclos, provocadas por factores desencadenantes que pueden ser mínimos, asociando estados depresivos a episodios eufóricos. En estos casos, a menudo se prescriben reguladores del estado de ánimo tales como el litio o el ácido valproico, que también pueden comportar un ligero aumento de peso.

A veces se prescriben neurolépticos como reguladores del estado de ánimo o para aliviar los trastornos de ansiedad o las ideas seudo-delirantes que en ocasiones acompañan a las depresiones mayores. Los neurolépticos ocasionan aumentos de peso que pueden llegar hasta los veinte kilos.

Antes de abordar el tratamiento de la depresión dejando a un lado su aspecto farmacológico, consideremos dos estados particulares que están estrechamente vinculados con ella: el duelo, que toma los hábitos de la depresión para expresarse una vez pasada la fase de negación y de cólera; y el estado maníaco, o la manía, que se muestra exactamente contraria a la depresión en sus síntomas, asociando euforia, insomnio, agitación y una abundante palabrería. De hecho, la manía y la depresión son las dos caras de una misma moneda, y coexisten en el trastorno bipolar (antes denominado «psicosis maníaco-depresiva»), donde se pueden observar alternancias, a ritmos variables, entre el estado depresivo y el estado maníaco.

La manía

Desde hace varios días, Liliane gasta de manera desenfrenada. Pero no es época de rebajas. Las personas próximas a ella no la reconocen. Normalmente, jamás está en descubierto; esta vez, sin embargo, la han telefoneado del banco para advertirle. Pero ella los ha enviado «a paseo». En efecto, desde hace un tiempo utiliza un lenguaje especialmente coloquial, haciendo gala de un humor que puede resultar fuera de lugar. Se cree que puede hacer lo que le dé la gana —se quejan sus vecinos—, ya que pone la música a todo volumen cuando la gente duerme. Porque además se acuesta cada vez más tarde. Ha engordado algunos kilos, precisamente ella, que hasta ahora cuidaba tanto su línea. Es como si tirara por la borda cualquier clase de restricción. Liliane padece un episodio maníaco.

La manía, en un nivel médico, no tiene nada que ver con el término «maniático» con el que designamos a las personas muy ordenadas. Sería más bien lo contrario, ya que su conducta parece desordenada. Durante estos episodios, más o menos intensos, observamos un estado de ánimo eufórico; un comportamiento desenfrenado, especialmente en el plano de las conductas alimentarias, pudiendo llegar a veces a la glotonería con ingestas tóxicas como el alcohol; una reducción del tiempo de sueño; expresiones cínicas; cierta impertinencia; cierta agresividad en el caso de obstáculos impuestos por otros a su sentimiento de omnipotencia; etcétera.

Un tratamiento farmacológico antidepresivo puede desencadenar, por una inversión del estado de ánimo, un episodio maníaco. El estado maníaco se trata con neurolépticos, a los cuales se pueden añadir timorreguladores (reguladores del estado de ánimo) en los tratamientos en profundidad. Si el estado depresivo inhibe las ganas de comer, la manía, por el contrario, se caracteriza por un desbordamiento instintivo, cierta relajación en la mesa que conlleva un sobrepeso emocional, al que se añade el inducido por las medicinas.

Pero la manía no siempre se hace evidente en forma de crisis. Al igual que ciertas personas evolucionan con un fondo depresivo crónico, otras son hipomaníacas. Se trata de personas a menudo simpáticas, que parecen dispuestas a todo, pero que no llegan al final de las cosas por falta de rigor y perseverancia, así como por cierta dificultad para soportar las restricciones y las frustraciones. No todas las personas hipomaníacas tienen sobrepeso, pero, en su caso, la primacía del placer, el rechazo de las restricciones (como la que impone una alimentación equilibrada, especialmente frente a la facilidad de la comida basura) y la falta de sueño ocasionan sobrepeso.

El duelo

Ya hemos visto que comer es una forma somera y arcaica de compensar una pérdida, sea cual sea su naturaleza. En la mayoría de las culturas, después de una defunción la gente come. El canibalismo era un modo de iniciar el duelo incorporando los órganos de un ser querido, en especial el más cargado de simbolismo, el corazón, no sólo para apropiarse de sus cualidades, sino también para seguir dándole vida. En la religión cristiana, es el cuerpo del Cristo difunto el que se ingiere en la hostia. Y a veces a los entierros les sigue un pequeño refrigerio: es una ocasión para reunirse, para mostrar que la vida continúa a través del acto vital de comer, pero también, simbólicamente, para comerse al desaparecido.

Con ocasión de un duelo, no es raro que se pierda peso. La pena quita las ganas de vivir y de comer; «corroe las entrañas». Ya hemos visto que la depresión que acompaña a la inmensa mayoría de los duelos puede ocasionar variaciones de peso tanto en forma de pérdida como de ganancia. «Cuando perdí a mi padre, adelgacé trece kilos. No era más que piel y huesos. Parecía un cadáver», nos contaba Antonin. Perder peso puede corresponder psicológicamente al deseo de confundirse con el difunto, como si fuera una manera de identificarse con él en un proceso de empatía extremo. E inversamente, y a veces como consecuencia de este primer mecanismo, un aumento de peso puede explicarse por una operación psíquica de incorporación del desaparecido: «Un año y medio después de su muerte —proseguía Antonin—, recuperé mi peso inicial y hasta lo superé. Los cuatro kilos suplementarios que gané se concentraron en mi abdomen. Desde entonces tengo la misma barriga que tenía mi padre».

Cómo curar la depresión

El tratamiento de la depresión les corresponde a los especialistas en la materia. Pero primero hay que detectarla. Nuestro propio médico de cabecera puede hacernos el diagnóstico y enviarnos a un psiquiatra, o también podemos acudir directamente al especialista. Éste, una vez confirmado el diagnóstico, nos propondrá los remedios terapéuticos, que incluirán entrevistas regulares en el marco de un tratamiento de psicoterapia, eventualmente acompañado de un tratamiento farmacológico. Pero el hecho de que él asuma el mando no debe impedirnos actuar directamente sobre nosotros mismos.

Toda depresión remite a una pérdida

Si es usted víctima de la pérdida de un amigo, de un amor o de un empleo, no juzgue negativamente todo el tiempo que ha pasado con él o con ella, o todo el trabajo que ha realizado. No hay que juzgar una historia sólo por su final, ni hay que considerar que la vida es un fracaso sólo por el hecho de que se termina con la muerte. Si la historia ha existido, y si se creyó en ella, cualesquiera que sean su duración y su terminación más o menos triste, no podemos hablar de fracaso.

En caso de pérdida (una ruptura amistosa, una separación amorosa, un duelo, un aborto, un despido profesional, etcétera), perdemos una parte de nosotros, pero nos encontramos también con un «cuerpo» muerto en nuestro interior, del que habrá que desembarazarse para que otro nazca a la vida. Ciertas personas tratarán de negar su presencia. Por ello, quemarán fotos, tirarán objetos, romperán relaciones, se mudarán de domicilio; en suma, tratarán de cortar todas las vías de la memoria. No quieren ni hablar del asunto. Alrededor de ese cuerpo levantan un muro de aislamiento. El inconveniente de tal rechazo es que ese objeto mental obsesionante y jamás expulsado se traducirá de una forma concreta, a fin de liberar el espíritu de él. Y esta concreción se traducirá en grasa (cuando no, a veces y por desgracia, en células malignas).

Dejar vivir la pena

Es importante, pues, dejar afluir la pena y el desasosiego que la acompaña sin negarlos; abandonar el confortable nido de la negación. Tratar de contener las lágrimas es correr el riesgo de ahogarse en la pena.

En un primer momento no tire nada. Guarde en cajas, en el fondo de un armario, en el sótano, el granero o el guardamuebles, esas fotos y esas cartas, o confíeselas a sus padres. No corra a cambiarse de casa. Toda mudanza supone un estrés, y ya está bastante estresado como para eso. Póngase a sí mismo al ralentí. No acepte cargas suplementarias de trabajo so pretexto de que eso le permitiría olvidar. Antes al contrario, le impediría desahogarse, y añadiría más fatiga a su estado de debilitamiento general.

Es verdad que la sociedad no nos ayuda en este ámbito. Los rituales y los signos externos del duelo han perdido importancia. Toda ruptura, todo fracaso es un duelo, pero es difícil encontrar a personas dispuestas a escuchar nuestras penas. Nos soltarán a modo de consuelo que hay que olvidar, seguir adelante, que «cuando una puerta se cierra, otra se abre», que tendremos otro hijo, que encontraremos otro trabajo, que nunca faltan amigos, que ya aprobaremos esa oposición… Y las lágrimas están mal vistas en nuestro entorno.

Para contar nuestra pena, la única manera que tenemos de que nos escuchen es decir que vamos a un psicólogo o que tomamos antidepresivos. Es decir, que hoy en día, para que nuestra pena se escuche y se tome en serio por parte de nuestros allegados, por desgracia, hay que medicalizarla. Decir que uno se medica ha venido a reemplazar en el código de comunicación a las lágrimas o los hábitos del duelo. Pero esa medicalización es una trampa, ya que, por otra parte, garantiza el desinterés de nuestros allegados: «Yo no sabría cómo ayudarte, deberías ver a un psicólogo» se convierte en la respuesta a la sencilla necesidad de atención y consuelo.

Darse tiempo

Concédase tiempo. No renuncie a encontrar oídos atentos, además de los oídos profesionales, que se avengan a escuchar su pena. A veces un desconocido en un café puede ser quien mejor nos escuche. Piense, lea, no haga nada y deje que su pena fluya. Póngase en barbecho.

Informe a sus allegados, por más que les cueste entenderlo, de que está triste y va a funcionar al ralentí durante un tiempo. Deles la consigna de que no se sientan molestos por su aire taciturno, y precise que no es reacio al hecho de que se le mime un poco. Acepte las ayudas puntuales, las manos tendidas, las invitaciones a cenar, las salidas; pero en cambio pida autorización para mostrarse un poco distante y no interesarse siempre por lo que se diga o se haga.

Es inútil procurar mostrarse fuerte, ya que entonces volverá a correr el peligro de que se apoyen en usted, cosa que en este momento no necesita. Es verdad que ocuparse de los demás permite olvidarse de uno mismo y sufrir menos en apariencia, pero justamente lo que no hay que hacer es olvidarse, y diferir el sufrimiento jamás permite la curación. Muéstrese sordo a los consejeros y a su propia razón, que no conocen en absoluto a su corazón y le invitan a hacer cada vez más, a seguir adelante, a no desfallecer y a mostrar lo mejor de usted mismo.

Inspirar bienestar

Durante el tiempo de pausa que haya decidido concederse, deje que progresivamente en su interior vaya volviendo la alegría de vivir. Conocer y reconocer su dolor la disipa; conocer y reconocer su alegría la desarrolla. Durante este tiempo de repliegue habrá aprendido a relativizar y a tenerlo todo en cuenta. A partir de ahora podrá abrirse a los demás.

Después de haber espirado su dolor, ahora debe inspirar bienestar para respirar la alegría de vivir. Buscar las ocasiones de alegría, de bienestar o de felicidad que ha dejado escapar en su existencia le permitirá descubrir cuáles habrían sido los medios de retenerlas. Recupere el deseo y sus deseos. «Para que haya deseo, hace falta un impulso más allá de los hábitos conocidos», escribe Françoise Dolto. Aventúrese fuera de sus caminos trillados. Conceda una oportunidad a lo inusual. Acepte las propuestas que había declinado únicamente porque tenía cosas que hacer en casa. Transgreda sus costumbres. Sentirse realizado es descubrir poderes nuevos. Experimente en ámbitos que no conocía. ¡Pruébelo! No obtiene placer sino quien se lo da a sí mismo. ¡Ofrézcaselo! Haga el bien tanto de pensamiento como de obra. Aprenda a mimarse. Vaya en busca de recuerdos, antiguos o recientes, anecdóticos o importantes; recuerdos agradables que le relajen, le diviertan o le reconforten el corazón. Rememore todo lo que ha sido motivo de alegría y todos sus éxitos sin importar el ámbito de que se trate.

Active también su cuerpo, que ha estado tan ralentizado durante los momentos más penosos de la depresión. La activación fisiológica multiplica por diez la percepción emocional. Asimismo, para recuperar la dinámica de las emociones positivas, active su organismo. La práctica de un deporte resulta aconsejable a condición de que realmente le guste, así como cualquier actividad que pueda hacerle vibrar. Pruebe varias de ellas, y no se sienta obligado a continuar si le vence el aburrimiento. Despierte también su sensorialidad: sienta, guste, toque, escuche, observe lo que se le presenta, y salga a descubrir perfumes, alimentos, materias, músicas e imágenes inéditas.

Deje que el buen humor se apodere de usted. Empiece por aceptar, de forma voluntaria, complacerse en las diferentes circunstancias de la vida, dejando de pensar en ayer o en mañana, y concentrándose en el momento presente. El hecho de haber vivido las dificultades de la existencia debe hacerle más abierto a las alegrías sencillas. No corra detrás del «cada vez más», y aprecie los pequeños placeres.

Percibir lo que hay de bueno en cada hora: he ahí el secreto de la felicidad. Imagine que una cámara filma su existencia: cada secuencia de su jornada cotidiana adquiere entonces mayor importancia y se convierte en un momento único. Ofrézcase tiempo. Intervenga positivamente en su entorno para que su contexto vital y sus allegados interactúen con su bienestar. Vele, pues, por su estado de salud, las condiciones de su ejercicio profesional, su hábitat, sus amigos, su cónyuge, sus padres… Cuide su aspecto (ropa, presencia, maquillaje, peinado, etcétera), ya que ello tendrá un impacto en su moral, así como en el modo en que otros van a interactuar con usted. Dé prioridad, en las decisiones que haya de tomar en su jornada, a aquellas que contribuyan a su mayor bienestar. Reflexionar sobre su propia felicidad debe llegar a ser para usted un asunto de la mayor importancia. Para ello, escuche los consejos que usted mismo le daría a su mejor amigo. No se resista más a la felicidad: eso no es ni fútil ni egoísta. Deje de sentirse culpable por ser feliz. Su desdicha no es útil a nadie. Y si sus penas pasadas le siguen impidiendo recuperar la alegría, piense en todas las desgracias a las que ha escapado.

Una última observación: para alcanzar la felicidad, hay que inventarla. Así pues, no tome como ejemplo la de los demás: eso le inhibiría. Cree su propia felicidad a partir de su propio vibrato emocional.

10

Mejorar la imagen de sí mismo

Un poco de voluntad

Sin duda, la pérdida de peso, contrariamente a una idea repetida durante demasiado tiempo, no es simplemente cuestión de voluntad. Y las personas con sobrepeso no son menos voluntariosas que otras. Sin embargo, el rechazo absoluto a toda imposición lleva a provocar cortocircuitos en todos los ámbitos de la vida; y en el ámbito alimentario, a pretender con excesiva frecuencia comer deprisa y corriendo, a no hacer el esfuerzo (que se convertiría en placer si se le concediera tiempo) de cocinar, de poner la mesa e instalarse cómodamente para desayunar o cenar, con el resultado de que, más que comer, tragamos. Los platos preparados que sólo hay que recalentar dos minutos en el microondas, los restaurantes de comida rápida, las patatas fritas al alcance de la mano en cualquier máquina expendedora...; todo ello nos conduce, por vagancia, a consumir bastante más de lo que necesita nuestro cuerpo. Sobre todo cuando uno está repantigado delante de la tele, ya que entonces no presta atención a las cantidades que engulle.

Por más importante que sea la voluntad en la puesta en práctica de un régimen, tampoco debemos pecar por exceso. Se trata, ante todo, de una cuestión de resistencia. El proyecto de adelgazamiento gana cuando perdura en el tiempo, y no cuando se pretende conseguirlo todo aquí y ahora. Es necesario que nuestra psique disponga de tiempo para acostumbrarse y para aceptar la nueva imagen de sí que se le propone. También es importante no desalentarse por un fracaso debido a un objetivo inalcanzable. A menudo, perdemos peso rápidamente los primeros días, y luego, por un efecto rebote, lo recuperamos con la misma rapidez. Hace falta tiempo para comprender poco a poco el significado del propio modo de alimentarse, para modificar los comportamientos alimentarios, encontrar otras fuentes de placer u otras modalidades de expresión de las propias emociones.

Así pues, nos pondremos unos objetivos limitados, ya que sólo progresaremos si vamos poco a poco. Hacer régimen no debe suponer maltratar el organismo. No se trata de refrenarlo o de castigarlo, sino de desacostumbrarlo. Empiece con el objetivo de perder del 5 al 10% de su peso. Y establezca el ritmo, por ejemplo, de 500 gramos a la semana, es decir, dos kilos al mes. El programa dietético consistirá en reducir en 500 calorías diarias su aporte energético, acompañándolo de la práctica de ejercicios físicos agradables durante la semana. También puede tener una libreta donde vaya anotando la evolución de su peso, y eventualmente su aportes calóricos, tal como anotábamos en un cuaderno las emociones y los activadores de la jornada[1].

Una vez obtenida la pérdida del 5 al 10%, seguiremos alerta, esta vez con el objetivo de mantener el peso. Después de mantenerlo durante varios meses, podemos contemplar una nueva cura de adelgazamiento si todavía seguimos teniendo sobrepe-

---

1. Véase el capítulo «Hay que reparar en lo que nos incita a comer».

so, pero procederemos siempre de manera progresiva y con un objetivo limitado.

Tener voluntad significa también trabajar sobre nosotros mismos para comprender las razones que nos impiden perder peso a pesar de seguir regímenes diversos y variados. Significa buscar los mecanismos inconscientes que nos impiden desembarazarnos de esa envoltura de grasa que es algo externo a nuestra identidad. También significa realizar ejercicios físicos u otras actividades que constituyen asimismo formas de alimentarse, pero que no producen sobrepeso. Significa alimentarse de manera sana, dedicar tiempo al descanso, conocer los propios límites, estar atento a las percepciones y a los cambios de humor, compartir con otros lo que se experimenta y no olvidarse de uno mismo en beneficio de los demás. Y por último, significa dejarse ayudar por las personas de su entorno o por los profesionales.

El principal motor de la voluntad es la motivación. Tener más voluntad resulta más fácil cuando se gana en motivación. Y la motivación está relacionada con las emociones.

Cómo ganar en motivación

La falta de motivación es una de las principales causas de fracaso de los regímenes (sean de la clase que sean) y de las tentativas para perder peso en general.

El origen de esta falta de motivación hay que buscarlo en el ámbito de las emociones.

Son los fracasos repetidos los que desaniman. Atentan contra la propia autoestima, la propia competencia para luchar contra lo que uno considera una debilidad, un fallo, un defecto o incluso un vicio. A fuerza de ganar peso, uno termina por considerarse nulo, incapaz, falto de voluntad, falible. Ese menosprecio por uno mismo posiblemente se extienda a otros campos distintos del estricto ámbito del comportamiento alimentario, y entonces el individuo acabará por infravalorarse globalmente a sí mismo. Cuanto menos creamos en nosotros mismos, menos motivados estaremos. De ahí que no haya que vivir este proyecto como un combate o un examen escolar que se puede perder o suspender, y sobre el que se emitirá un juicio o se pondrá una nota, sino más bien como una iniciativa personal, una búsqueda de placer, y el deseo de encontrar la verdadera naturaleza envuelta en el engaño, camuflada bajo una falsa apariencia.

Se trata, ante todo, de una búsqueda de sí, que tiene que ver con el aprendizaje o el redescubrimiento del verdadero placer de comer, de saborear, de la gastronomía en sustitución de la glotonería. Pero también con el descubrimiento de todas las emociones que nos gobiernan y que en parte nos definen. Ahora bien, lanzarse a la búsqueda de sí mismo no es una obligación, aquí no tiene cabida el miedo a fracasar. Es un viaje, una odisea interior, donde lo que está en juego es uno mismo y su bienestar, y no la mirada exterior. Para ganar en motivación, cambie la definición de su proyecto: no se trata de perder peso, sino de ganar en placer y en autoconocimiento.

La falta de motivación es la dificultad de imaginar y anticipar aquello en lo que uno podría convertirse si adelgazara. Tómese tiempo para tumbarse y soñar despierto en la persona que sería en las diversas circunstancias de la vida. La pérdida de sobrepeso emocional no se resume en ser el mismo de siempre, aunque más delgado. Imagínese metamorfoseado en una persona menos estresada, menos triste, menos colérica, menos frustrada, etc. Posiblemente ya lo fue en una época pasada, y desde entonces no recuerda haber vuelto a ser feliz.

A su alrededor hay personas delgadas que sin duda no dan la imagen de ser felices, aunque sólo sea por las obligaciones que se imponen para reprimirse constantemente. Será mejor que no las utilice como modelo, sino más bien que piense en personas que siempre hayan sido lo bastante delgadas, ya que será a ellas a quienes se parecerá cuando haya perdido su sobrepeso emocional. En efecto, reprimiéndose a sí mismo no es como lo perderá, sino reencontrando a aquel que usted habría debido ser de no haber estado presentes los factores que han desregulado su comportamiento alimentario, a veces ya en los primeros años de su existencia.

Por último, ante una falta de motivación generalizada, hay que plantear la hipótesis de un estado depresivo. Dicho estado da una visión sombría de la existencia y del futuro, y viene acompañado de una falta de motivación global asociada a un humor taciturno y una sensación de cansancio. Ya hemos visto, en el capítulo sobre la depresión, sus vínculos con el peso y los medios de combatirla.

Para ganar en motivación, a menudo es necesario tener confianza en nosotros mismos y en la capacidad para alcanzar los objetivos que nos hemos fijado. La falta de autoconfianza favorece el repliegue interior, la renuncia, la frustración y, en consecuencia, el sobrepeso emocional. La mala imagen que uno tiene de sí mismo lleva a esconderse bajo el sobrepeso, a mantener una apariencia que se considera negativa, o a agredirse a sí mismo comiendo en exceso.

Estamos hechos de palabras

Los niños, sin que se les pueda llegar a comparar con la plastilina, son sensibles a los deseos de su entorno. Y los discursos repetidos en torno a ellos influyen en su autoconstrucción como personas. Así, los elogios darán al niño una buena autoestima y le harán más seguro de sí mismo. E inversamente, el niño integrará las críticas reiteradas como si fueran verdades. A fuerza de decirle a un niño que es torpe, acabará por serlo de veras. De niño, cuando mi madre, preocupada por su prole, me decía cada vez que iba en bicicleta: «¡Cuidado! ¡Te vas a caer!», yo inevitablemente terminaba en el suelo unos metros más allá; como si, ni que fuera inconscientemente, no pudiera llevarle la contraria.

Los niños tratan de buena gana de satisfacer a sus padres a largo plazo, incluyendo los reproches, que ellos entienden como conminaciones. En las situaciones de divorcio los padres no siempre se muestran objetivos. No es raro que una madre le reproche a su hijo que es «como su padre» por cada tontería que hace. Pero entonces se corre el riesgo de que el hijo, que procura parecerse a aquel a quien su madre eligió para darle la vida, tome como modelo a su padre no tal como él lo ve (sobre todo si lo ve sólo dos fines de semana al mes), sino a partir de lo que su madre dice de él, es decir, en este caso toda una sarta de defectos y fallos.

Por supuesto, hay desarrollos reactivos, y niños que tratan de demostrar a sus padres que no son lo que se dice de ellos. Pero ello se da al precio de un conflicto psíquico y de un conflicto de lealtades que pueden traducirse en sobrepeso emocional. Y cuando uno construye su personalidad basándose en la oposición, dicha personalidad acaba vinculada al discurso parental. Así pues, tanto si hacemos lo que se nos dice como si hacemos lo contrario, seguimos estando influenciados. Evidentemente, cualesquiera que sean los elogios, habrá unas determinadas habilidades que no aparecerán pese a las creencias, las ilusiones o los estímulos del entorno, lo cual no es óbice para que el niño no desarrolle plenamente sus habilidades y adquiera autoconfianza.

Por fortuna, y contrariamente a una idea muy extendida, no todo se decide antes de los tres años, ni de los seis, ni siquiera de los treinta. En efecto, podemos cambiar a cualquier edad, aunque ya no tengamos la misma flexibilidad, la misma plasticidad, que en la infancia. Es verdad que nuestra reserva de neuronas ya no aumenta; pero los circuitos cerebrales que determinan nuestras habilidades, nuestras estrategias de comportamiento, y especialmente la imagen que tenemos de nosotros mismos, no son inamovibles: las conexiones entre las neuronas pueden formarse y deshacerse a cualquier edad.

Conviértase en su propio progenitor

Analice los orígenes de sus creencias sobre usted mismo para desarraigarlas. Si usted no se quiere a sí mismo, ¿no será —como nos contaba Octavine— porque en su casa sólo había ojos para su hermano mayor, al que siempre ponían por las nubes su padre, su madre y otros miembros de una de tantas familias donde siempre se sobreestima al primogénito? ¿Y porque usted se sentía rechazada y desfavorecida? A veces ese rechazo es parcial y está compensado por un vínculo afectivo privilegiado: ¿acaso no era usted, en contrapartida, la favorita de su abuela?

En cambio, ciertos rechazos son reales, acusados y generalizados. Hay que resignarse. Pero si nuestros padres, por sus carencias, sus egoísmos o sus dificultades personales, no estuvieron a la altura de su función y arruinaron en parte nuestra infancia, ésa no es razón para dejar que nos arruinen la vida entera. Distánciese de ellos, de su discurso, corte los puentes afectivos. Usted ya no es ese niño maltratado: se ha convertido en otro. Es un adulto con el mismo poder que ellos, mientras que ellos ya no tienen ningún poder sobre su persona. Conviértase en su propia madre, en su propio padre y, si es necesario, contrarreste lo que sus padres no hicieron o hicieron mal con usted. Sea su propio progenitor. Dígase a sí mismo las cosas positivas que en su día no le dijeron. Y, para seguir creciendo, escoja otros modelos distintos a sus padres en su nuevo entorno.

Impóngase su propio discurso

Cambiar la imagen de sí mismo pasa por dos modalidades de acceso: por medio de acciones de ámbito superficial y de acciones en profundidad.

En el ámbito superficial, hay que reemplazar el discurso parental por el propio discurso: convencerse de que uno tiene las cualidades que le gustaría tener. Dígase en voz alta, frente a un espejo, que usted es guapo o que usted es digno de amor. Elogiarse cada mañana, mimarse, ayuda a quererse. No deje que los demás le sigan poniendo etiquetas. Cuando se lanzan a los cuatro vientos calificativos sobre usted tales como «el perezoso», «la charlatana» o «el perdedor», cójalos al vuelo para cuestionarlos. Fíjese también en los apodos, que a menudo dicen mucho sobre la imagen que los demás tienen de usted. Nada le prohíbe exigir que se le llame de otro modo, por más que en su familia le sigan llamando «nene» o «chiquitina» desde hace años.

Al mismo tiempo, deshágase de las etiquetas que usted mismo se atribuye, sobre todo cuando empieza a describirse a sí mismo, ya que en general son infravalorativas. Aprenda a responder a las preguntas que le plantean de forma menos lapidaria. Tómese tiempo para describirse, entrenándose por escrito si es necesario. En lugar de responderle brevemente a un interlocutor que inquiere sobre su profesión que es usted auxiliar de contabilidad a media jornada, precise cuáles son sus responsabilidades tanto en el trabajo como en casa. Por ejemplo: «Trabajo en el departamento de nóminas de una empresa de moda. Me aseguro de que cada empleado, desde el estilista hasta la modista, reciba a tiempo la suma que se le debe. Y en casa ayudo a mis hijos de ocho y diez años en su tareas escolares, y les acompaño en sus actividades deportivas y artísticas».

Imagine otra imagen de usted

Cuando esté tumbado, piense intensamente en usted hasta el punto de representarse a sí mismo en su imaginación. Luego, como si tuviera una goma mágica, borre todas las partes que desea cambiar físicamente en usted. Imagínese haciendo cosas que jamás se ha atrevido a hacer, diciendo cosas que jamás se ha atrevido a decir, apoyándose eventualmente en personas que dicen o hacen lo que usted no se atreve. Anticipe en su imaginación lo que quiere ser. Rescate entre sus recuerdos los mejores momentos de su vida, el período en el que se sentía más apreciado por los demás, y aférrese a esas imágenes positivas para reencontrar emocionalmente a la persona que puede llegar a ser.

Actúe

Para cambiar la propia imagen en profundidad, hay que introducirse en las vías de acceso prohibidas por la imagen que tenemos de nosotros mismos. Acepte participar en ese desfile de moda aficionado organizado por el club de vacaciones en el que se encuentra, por más que considere que no tiene el físico apropiado para ello. Tome clases de natación, si no sabe nadar, sin pensar en que ya no tiene edad para hacerlo. Escriba una novela, aunque no tenga oportunidad de que se la publiquen: nada le impedirá imprimirla y ofrecérsela a sus amigos. Haga ese salto de *puenting* para probarse a sí mismo que es capaz de superar sus miedos.

Todas esas acciones le ayudarán a adquirir una nueva opinión de sí mismo y a modificar el modo como le ven los demás. Y ello porque, aunque sabemos hasta qué punto la visión que uno tiene de sí mismo influye en la visión que los demás tienen de él, olvidamos que lo contrario también es cierto: la visión de los demás cambia la propia visión de uno mismo.

11

Soltar amarras

Las personas con sobrepeso, especialmente en los períodos de régimen (¡aunque para algunos los períodos de régimen duran siempre!), con frecuencia son víctimas de verdaderas obsesiones. Las obsesiones son pensamientos que se imponen al espíritu y parasitan todo el campo de la conciencia, no dejando lugar a ningún otro pensamiento o emoción.

La obsesión se refiere a los kilos, las calorías o la elección de los alimentos que hay que ingerir. Cuando no se piensa en comer, se piensa en no comer. Uno también piensa de manera obsesiva en los alimentos que le están prohibidos. Cuando come, piensa en el número de glúcidos o de lípidos que asimila, y en lo que representan en kilos. Cuando hace ejercicio, piensa en las calorías que está quemando. De noche, uno sueña que come. «Estaba en una exposición de pintura —me confiaba Anne, en un período de restricción calórica—, y no me fijaba más que en los alimentos que había en los lienzos.»

¿Y si estas obsesiones escondieran algo? ¿Algo que estuviera muy alejado del sencillo proyecto de adelgazar o de las ansias de comer? Llenar el cerebro con un equilibrio calórico, un menú de restaurante o una lista de compras alimentarias evita servirse de él para otras cosas. ¿El objetivo no sería entonces impedir que surjan otros pensamientos considerados incómodos, o, en todo caso, menos familiares: recuerdos, deseos enterrados, sueños frustrados, sentimientos prohibidos, emociones demasiado fuertes o inéditas, que correrían el peligro de aflorar si el lugar que ocupan esas obsesiones estuviera vacío? Pensar en comer o en no comer evita estar atento a uno mismo, pensar en sí, pensarse, por miedo a la novedad, a la nostalgia, al arrepentimiento, a la amargura o a un eventual sufrimiento a corto plazo.

En otros casos, lo que frenan esas obsesiones no son pensamientos o emociones, sino, lo que es peor, la vacuidad, el vacío, que correría el riesgo de invadir la psique desocupada. En efecto, ciertas personas sufren de una inhibición del pensamiento o de los deseos. Puede ser un estado pasajero: se trata del sentimiento de vacío que tan frecuente es en caso de depresión grave. Pero puede ser un estado más profundo que afecta a personas que, en el curso de su desarrollo, hicieron el vacío en su mente por temor a dejar aflorar de nuevo pensamientos que rechazan, fantasías, ideas, recuerdos traumáticos, deseos que refutan, como determinados deseos sexuales. A falta de poder realizar una selección, y debido a una intolerancia global frente a su inconsciente, el cerebro de estas personas ha rechazado tanto su imaginario que ha dejado un pensamiento árido privado de imaginación.

Libere sus pensamientos

Si se halla usted en este último caso, ha de dejar de tener miedo a lo que aflorará a la linde de su conciencia: sus pensamientos ilícitos, sus sensaciones inhibidas, sus instintos aprisionados, sus aspiraciones abandonadas, etcétera. Acepte la idea de acogerlos en su pensamiento con tolerancia. No está obligado a expresarlos, ni a ponerlos en práctica. Pero por lo menos tome conciencia de su existencia, ni que sólo sea para conocer lo que no quiere que se sepa de usted, lo que no quiere que se exprese de usted, para controlarlo mejor, sin engañarse sobre sí mismo. Y ¿quién sabe?, quizás con el paso del tiempo vuelva a encontrarse en la misma situación que en la época en la que renunció a tal o cual emoción asociada a tal o cual acción, con tales o cuales deseos o pensamientos. Hoy el contexto ha cambiado: quizás acepte liberar tal o cual aspecto de sí mismo.

Fue después de la muerte de su padre cuando Éléonore, con ocasión de un trabajo psicoterapéutico para perder peso, comprendió que nunca había sido feliz en cuestión de amores. Entonces se acordó de su primer amor, a los once años, en Senegal, donde su padre trabajaba como cooperante. Era un chico de su edad. Cuando su padre se dio cuenta del casto afecto que le profesaba, le prohibió volver a verlo, no vacilando en decirle que no podía admitir que su hija se encaprichara de un africano. Ella respetó al pie de la letra la siniestra consigna, y luego sólo conoció fracasos amorosos con hombres a los que no deseaba en absoluto. El fallecimiento de su padre y su toma de conciencia la liberaron. Y aunque no reencontró al Adama de su infancia, se casó con un hombre que llevaba el mismo nombre y también era originario de África Oriental, y fue para bien. Paralelamente, se liberó de varios kilos que sin duda le servían para sofocar su pena y su deseo. Y no es que ella ya no viera (ya se sabe que el amor es ciego) los kilos que no consiguió perder con relación al objetivo que se había fijado, sino que no volvieron a preocuparla nunca más.

Entre los otros elementos responsables del sobrepeso emocional, está la necesidad de dominarlo todo. Aunque a primera vista parezca paradójico, aprender a soltar amarras es saludable para liberarse del sobrepeso.

La mujer de hielo

«¡Es que se abandonan!»: las mujeres obesas o con sobrepeso están acostumbradas a este tipo de reflexiones, tanto si se las dicen cara a cara o a sus espaldas. El drama es que acaban por creérselo, y se consideran mujeres carentes de voluntad. Como reacción, o bien optan por ingerir alimentos de manera anárquica, o bien por todo lo contrario: refuerzan el control que ejercen sobre sí mismas, a veces hasta llegar a tiranizarse. Sin embargo, las mujeres que ejercen ese hipercontrol, ya sea por su propia naturaleza o porque lo hacen con el fin de perder peso, no son precisamente las menos amenazadas por el aumento de peso. Ni de lejos.

Posiblemente usted sea de esas mujeres que tienen tal fuerza de carácter que son capaces de reprimir sus fuentes de placer durante un largo período si consideran que dichos placeres son perjudiciales para la imagen que tienen de sí mismas. Estas mujeres de hielo tienen una gran capacidad para dejar de lado, para congelar, sus deseos al servicio de una causa. También resulta fácil detectar esa misma exigencia respecto a sí mismas en otros ámbitos: el deportivo, el profesional, el familiar, etcétera. Se puede contar con ellas. Controlan su apariencia, su comportamiento y, por supuesto, sus emociones. Se colocan bajo el apagavelas de la voluntad y acaban por asfixiarse poco a poco. Es como si se produjera una especie de robotización. Los afectos se dejan atrapar por el hielo de la rigidez. A menudo y a primera vista, esas mujeres de hielo parecen frías. No se quejan, ni piden ayuda fácilmente. Están en permanente combate contra sí mismas. Su superyó, el Pepito Grillo de la conciencia, lo que se podría designar como la conciencia moral, resulta especialmente opresor.

Cuando este dominio de sí se pone al servicio de una restricción alimentaria, los resultados en un primer momento no se hacen esperar. Las prescripciones de los especialistas y las reglas de nutrición se aplican al pie de la letra. La mujer de hielo come lo que está indicado aun cuando se trate (y ése es a menudo el caso) de alimentos que no le gustan, como, por ejemplo, nutrientes proteínicos, o que le gustan, pero que ese día no le apetecen. Algunos de esos alimentos no tienen demasiado que ver con los productos que consumía hasta entonces: polvos que hay que diluir, constituyentes desecados que hay que rehidratar, barritas proteínicas, líquidos nutritivos, etcétera. Nada que evoque en la forma o el gusto, a menudo insípido, los platos o los ingredientes más apreciados. Por otra parte, se prohíbe a sí misma de manera absoluta los alimentos a los que es más aficionada, e incluso que adora, cuando le apetecen.

Ruptura consigo mismo

Con el tiempo, estas personas voluntariosas se imponen a sí mismas una verdadera ruptura con lo que les gusta, con sus sensaciones, sus percepciones, sus deseos. Finalmente, rompen con lo que son. Se vuelven sordas a su lenguaje interior. Se disocian de sí mismas.

Este nuevo encorsetamiento no afecta sólo a las relaciones con uno mismo, sino también con los demás. La mujer con hipercontrol limitará los contactos con sus amistades para evitar las comidas en común, las grandes «comilonas» a las que se invitan los amigos en casa o fuera, dado que las comidas representan el principal punto de encuentro social. Lo mismo vale para los compañeros de trabajo, con los que evitará especialmente ir a almorzar. De ese modo, además de su ser profundo, se disocia también de su ser social y de las emociones que le son propias. A fuerza de no escuchar al propio ser interior, se acaba por dejar de comprenderlo, y también por dejar de verlo al forzarse en no ver más que el propio deber.

Regreso al todo en uno

Es entonces cuando todo puede bascular hacia una inmensa regresión. El niño, en plena evolución, en el curso de su desarrollo y gracias a sus padres, aprende a distinguir sus diferentes carencias y deseos, sus distintas sensaciones y percepciones agradables y desagradables, como el hambre, la necesidad de sueño, el dolor físico, el miedo, la tristeza, la alegría, la cólera y el deseo de que le miren, de que le toquen o de comunicarse.

En el caso del hipercontrol, lo que se produce es exactamente lo contrario: se asiste a una trágica desprogramación. Regresa el «todo en uno» característico del recién nacido. Reaparece lo indefinido. El lenguaje interior sólo tiene una letra en su alfabeto. Todas las sensaciones y carencias se resumen en una: el hambre. Sea hambre de alimento, de sueño, de ternura, de alivio, de consuelo, de tranquilidad, de confrontación, etcétera. Y la persona reacciona consigo misma como si fuera la madre deprimida de un niño de pecho, la cual, sin preocuparse de saber lo que se esconde tras las lágrimas de su bebé, interpretara sistemáticamente sus llantos como llantos de hambre y le diera el biberón sin más preámbulo.

Comer se convierte en el modo de respuesta unívoca a todos los vibratos emocionales, porque resulta fácil y porque la obsesión por no comer ha situado al alimento en el primer plano de la escena mental. Cuando la persona con hipercontrol contraviene sus propias reglas e inicia una ingesta alimentaria no reglamentaria, deja de percibir los mensajes de saciedad y puede comer sin límite, a veces de manera bulímica. Y las ocasiones de derrumbarse aumentan en potencia a medida que la disociación con el yo sensorial se consolida, ya que entonces todo es estómago. El miedo, el cansancio, todas las emociones de alegría, de cólera, de decepción, de sorpresa, de tristeza, los deseos sensuales o sexuales, etcétera, pueden interpretarse como si fueran hambre de alimentos, y llevan a abrir una ventana en este universo carcelario. Pero una vez entreabierta, la corriente de aire puede convertirse en borrasca: uno responde entonces a todos los tipos de carencias o de sensaciones conglomerados y almacena reservas de bienestar por temor a dejar de tenerlo.

¿Qué hacer?

Las técnicas de relajación que ya hemos indicado para combatir el estrés también resultan muy útiles para aprender a soltar amarras. Se basan en los vínculos directos entre el espíritu y el cuerpo.

Igualmente, las técnicas de hipnosis que uno puede aplicarse a sí mismo (autohipnosis) resultan muy eficaces. Cuando nos hallamos en el estado denominado «de trance hipnótico», los músculos del cuerpo se relajan, la frecuencia cardíaca baja y la respiración se hace lenta y profunda. Los pensamientos se vuelven más abstractos y se orientan hacia las sensaciones, las imágenes y los olores. Son más libres, menos controlados.

Soltar amarras implica correr riesgos, entre ellos el de dejar de controlar. Pero el control absoluto no impide el peligro, y, por otra parte, tampoco es posible ejercer un control total. Es una ilusión: en efecto, se puede controlar el propio cuerpo, mientras no caiga enfermo; pero ¿qué control real tenemos sobre los seres y el curso de las cosas? Un análisis personal tiene que moverse, pues, entre lo que verdaderamente se puede controlar y lo que resulta ilusorio pretender controlar, pero también debe centrarse en aquello que no se puede controlar aunque sí se pueda influir en ello.

Soltar amarras es disminuir la frecuencia de los «hay que» y los «tengo que» que uno se impone a sí mismo durante todo el día. Es renunciar a la perfección en aras del bienestar, es renunciar a expiar para considerar que vivir es también tener placer, por más que nuestros padres no pararan hasta convertirnos en personas únicamente consagradas al deber. Y si eso no se logra, al menos hay que intentar obligarse a no hacer nada aunque sólo sea durante unas horas a la semana, considerándolo como algo indispensable para seguir siendo eficaz. Y cabe esperar que le coja el gusto, sobre todo si es usted consciente de que el mundo sigue girando... hasta cuando usted se queda sentado o tumbado.

Soltar amarras no equivale a renunciar a su objetivo. En el peor de los casos, equivale a aplazarlo. Pero sigue siendo un medio para llegar a él. Es el junco que se dobla al viento, al contrario del roble, para no romperse; es el nadador que se deja llevar por la corriente que le arrastrará hasta una zona donde podrán ir a salvarlo, en lugar de agotarse con riesgo de su vida nadando a contra corriente; es la persona que no se acuerda de lo que iba a decir, y lo recuerda en el momento en que renuncia a hacerlo salir a la fuerza de su boca.

Soltar amarras implica confiar, al menos en parte, en uno mismo, en los demás o «en la suerte», como dirían los supersticiosos. Y el origen de la necesidad de controlarlo todo viene a veces de la falta de confianza que uno tenía frente a las personas que nos criaron y que luego no resultaron fiables. Pero cuando se está constantemente enganchado no se avanza bien en la vida. Soltar amarras es aceptar zambullirse, lo que no impide evaluar lo mejor posible el lugar donde uno se zambulle.

Soltar amarras permite disfrutar más. El autocontrol crea la ilusión de poder escapar al dolor y a las sorpresas desagradables, pero también impide las agradables: muchos problemas sexuales relacionados con la capacidad de gozar (anorgasmia en las mujeres, eyaculación precoz en los hombres) provienen de esta dificultad para abandonarse al placer sexual sin el control del pensamiento.

12

Autoafirmarse sin engordar

El sobrepeso como coraza

Entre los diferentes orígenes y funciones del sobrepeso emocional, algunos actúan como coraza. Han sido elaborados por el inconsciente con una finalidad protectora contra las agresiones externas. Se trata de un mecanismo de protección que generalmente aparece en la infancia o en la adolescencia, pero puede aparecer a cualquier edad.

Nuestro inconsciente no es razonable. O, por lo menos, no razona como nuestro pensamiento consciente. Tiene un funcionamiento primario y prescinde de las consecuencias de sus órdenes. Puede llevar a asumir riesgos irreflexivos para escapar a una situación estresante. En el ámbito que aquí nos interesa, enfrentado a un malestar persistente o a una situación de bloqueo, puede llevar a adquirir un sobrepeso emocional si eso ayuda a evitar la situación en cuestión, por más que ese aumento de peso resulte perjudicial.

Cuando recibo a personas en sesiones de psicoterapia, el trabajo consiste en encontrar el origen de la aparición de ese mecanismo de protección para proponer al inconsciente otra salida al bloqueo. En el inconsciente no existe el tiempo, y los mecanismos de protección implantados en la infancia persisten en la edad adulta, como un hábito, aunque el malestar original ya no esté presente. Basta entonces con penetrar en su interior para que el mecanismo salte sin necesitar reemplazarlo.

Las razones para acorazarse no son precisamente escasas.

Mathilde tuvo que protegerse de una hermana mayor agresiva y que la rechazaba. Ésta la maltrataba cada vez que los padres se daban la vuelta, es decir, muy a menudo, ya que, al ser los dos comerciantes, trabajaban sin contar las horas, y la hija mayor tenía que cuidar de la pequeña. En el caso de Mathilde, hay que tomar el término «coraza» al pie de la letra, ya que su inconsciente veía en esa envoltura corporal un medio de parar los golpes.

Alice, por su parte, deseaba protegerse de su padrastro, que se mostraba demasiado apegado a sus tres hijastras. Alice recuerda que, sin llegar a ser verdaderamente ofensivo, exhibía miradas, actitudes, intenciones y una conducta claramente impúdica que la hacían sentirse incómoda. Mientras que su hermana mayor se volvió coqueta en exceso, habiendo asimilado la idea de que sólo su cuerpo la hacía interesante, Alice intentó inconscientemente protegerse de las tentaciones masculinas escondiéndose detrás de su sobrepeso. Pero su inconsciente, ignorante de la sexualidad masculina, no había previsto que sus redondeces excitarían tanto la concupiscencia, lo que provocaría, en un círculo también vicioso, un recrudecimiento del sobrepeso emocional.

Para desembarazarse de ese sobrepeso coraza, obviamente, de entrada hay que descubrir su origen. Una vez distanciados de la situación, la toma de conciencia puede ayudar a liberarse de él, como en el caso de Déborah: «Perdí mis kilos de más al morir mi abuelo. Él había abusado de mi prima hermana y yo me enteré, y entonces comprendí que mis kilos, que habían aparecido después de todo ello para quedarse conmigo, hacían las veces de armadura. A su muerte, me sentí liberada de cualquier amenaza, y pude desembarazarme de aquellos kilos con facilidad».

También es posible, mediante un trabajo consigo mismo, adoptar otras formas de protección, entre ellas una actitud ofensiva de liberación emocional por medio de la palabra, a través de la expresión escrita, mediante determinadas acciones (iniciando una demanda en los casos de malos tratos, por ejemplo), mediante la mejora de la imagen de sí mismo y por medio de la autoafirmación.

Recuperar la autoconfianza

Recuperar la autoconfianza, o simplemente encontrarla para quienes jamás la han tenido, forma parte de la lucha contra el sobrepeso emocional. En efecto, la falta de autoconfianza es una causa importante de aumento de peso, aisladamente o en combinación con otras dificultades afectivas.

Porque comer es emocionalmente un medio de mantener la compostura. Engordar es una forma metafórica de cobrar importancia, de ocupar más peso ante los demás, de compensar físicamente ese sentimiento de insignificancia que atormenta mentalmente. Además, la falta de autoconfianza es un factor limitador a la hora de emprender determinadas actividades, de ocio o profesionales, o de iniciar relaciones de amistad o de amor; en suma, reprime la realización personal y todo lo que nos proporciona placer. En este aspecto, es fuente de emociones negativas y de repliegue sobre sí mismo, recurriendo particularmente al alimento con el fin de consolarse y apaciguar el sentimiento de frustración. Pero, a cambio, el sobrepeso, sea o no consecuencia de una falta de autoconfianza, merma todavía más esa confianza.

En la mayoría de los casos, el origen de la falta de autoconfianza emana de una falta de apoyo en la infancia. Es difícil tener autoconfianza si nuestros padres tampoco confiaban en sí mismos (y, por lo tanto, nos ofrecían un modelo negativo), o bien en nosotros y en nuestras potencialidades. Pero el sobrepeso emocional puede también utilizarse como una tentativa de autoafirmación.

Kilos que imponen

El sobrepeso emocional permite «dar la talla», imponerse y destacar socialmente. En particular, cuando uno cree que carece de carisma o de riqueza interior.

Probablemente, ésa fuera la motivación inconsciente de Adélaïde, una niña que sufría por pasar inadvertida, en especial con relación a sus hermanos y hermanas, a los que calificaba de exuberantes, atractivos o eficientes. En la adolescencia se llenó emocionalmente de kilos de más, los cuales le proporcionaron la ilusión de que ocupaba más sitio en la familia y de que, por fin, había conseguido ser «notable».

Para Célia, engordar equivalía a emanciparse en sentido amplio. Al ser la más pequeña de sus hermanos, sufría de sobreprotección parental. Su sobrepeso en la infancia y adolescencia podía entenderse como una tentativa de parecer a los ojos de sus padres más «grande» o más «fuerte», a fin de que ya no se la considerara una niña «pequeña». Además, ese sobrepeso vino acompañado de una pubertad precoz.

En otros casos, lo que uno desea es que le tomen en serio. Fue al incorporarse a la vida activa cuando Oriane engordó sin razón aparente. Era una mujer hermosa, y comprendió que en el universo masculino de su empresa de máquinas herramientas debía redoblar sus esfuerzos para ser valorada en pie de igualdad por sus colegas y sus superiores jerárquicos, y poder acceder así a la carrera profesional a la que su ambición y su competencia le daban acceso. Además, había de evitar poner por delante su gracia y su belleza. Su inconsciente integró todo esto enmascarando sus encantos bajo una envoltura de grasa.

Esta autoafirmación personal mediante sobrepeso no afecta profundamente a la imagen que uno tiene de sí mismo, sino más bien a la imagen social que transmite. Así, Marine, como muchas otras mujeres en su situación, se veía, con ocasión de una sesión de ensoñación, «como una cosita endeble dentro de un traje acolchado muy grueso».

Autoafirmarse mediante la oposición es otra posibilidad. Por ejemplo, el inconsciente de Mylène, cuya madre tenía exigencias muy precisas en relación con su hija, eligió actuar de este modo. Su madre quería que fuera hermosa, lo que para ella equivalía a ser muy delgada, elegante, espiritual y coqueta, a imagen y semejanza de los personajes de las series estadounidenses que tanto le gustaban. Mylène se opuso a ello engordando y desinteresándose por la moda y por todos aquellos «perifollos», como ella los llamaba. Pero en este caso autoafirmarse mediante la oposición entraña el riesgo de no dejar de depender de la madre, contentándose con llevarle la contraria. Así pues, hubo que ayudar a Mylène a saber quién quería ser realmente, prescindiendo de las expectativas de su madre. Y si su proyecto era, de hecho, ir a lo esencial, sin detenerse en la superficie de las cosas, no por ello deseaba tener un peso fuera de serie ni vestir como un espantapájaros. Poco a poco fue cultivando sus cualidades de franqueza, su espíritu pragmático y concreto y su curiosidad intelectual, y recuperando una silueta que no se calificaría ni de delgada ni de gorda, pero liberándose en cualquier caso de su sobrepeso «oposicional». De ese modo pudo, además, practicar con más facilidad los deportes extremos a los que era aficionada.

Otras formas de autoafirmarse

Para liberarse de ese sobrepeso emocional que pretende autoafirmarle, es necesario, una vez que ha tomado conciencia de ello, poner en ejecución otros métodos de autoafirmación. He aquí algunas pistas y muchos consejos para adquirir peso social sin engordar.

La regla de oro es considerar que usted tiene los mismos derechos que todo el mundo. Su opinión tiene el mismo valor que la de cualquiera. Lo mismo que sus creencias, sus sentimientos, sus deseos y sus emociones. Tiene también, como todo ser humano, derecho a no entender las cosas a la primera y a pedir una nueva explicación, a equivocarse (errar es humano), a cambiar de opinión (sólo los imbéciles no cambian de opinión), a no ayudar a quien se lo exija, a no estar de acuerdo, etcétera.

La palabra es uno de los primeros instrumentos que se nos han dado para autoafirmarnos. Tómela. Entable conversación cuando esté con gente, conocida o no. Empiece por mencionar cosas anodinas y no conflictivas, como el tiempo que hace, y luego hable de usted. Interésese por el otro sin abordar de golpe cuestiones demasiado íntimas. De manera más general, es importante decir lo que se piensa, lo que se cree, lo que se siente, lo que se desea y lo que se exige. Hablaremos en voz alta a fin de que se nos oiga bien. Nuestras frases serán educadas, carentes de agresividad, y respetuosas con los deseos y las creencias del prójimo.

Pero decir lo que uno quiere, aunque el otro quiera lo mismo que nosotros, no equivale a ser irrespetuoso. La negociación se produce en un segundo momento. No hay que temer los conflictos y hay que atreverse a correr el riesgo de expresar una opinión poco habitual; lo ideal es argumentar para defender el propio punto de vista y, ¿por qué no?, conseguir la adhesión del otro. Utilice más la primera persona del singular. Ganará en claridad, le escucharán más, será más preciso en sus demandas y en sus críticas, y enganchará más a su interlocutor, personalizando la relación.

Acepte los elogios que le hagan, contentándose con agradecerlos. Aprenda a hacerlos también usted. No dude en pedir favores. Y no renuncie a ellos so pretexto de que anteriormente se los habían negado.

Acepte las críticas justificadas sin deprimirse por ello, y tampoco vacile en justificarse cuando crea que tiene justificación. Por el contrario, rechace las críticas infundadas o demasiado generalizadas, tales como «no eres nadie» o «eres un pelma», obligando a su adversario a argumentar cada vez que las formula (más adelante veremos este tema con mayor detalle).

No mienta ni tergiverse la verdad, ya que eso es una trampa de la que se encontrará preso cuando se le descubra. Diga lo que hace, pero también, y sobre todo, haga lo que dice, a fin de que se tome en serio su palabra.

En todo esto se trata de garantizar los propios derechos, de preservar los propios intereses sin atentar contra los del prójimo, sin verse retenido por el temor a generar un enfrentamiento, evitando recurrir a la cólera o a la violencia, y dando prioridad a la discusión y la negociación, en vez de contentarse con esperar (manteniéndose al margen) que el otro adivine qué es lo que usted quiere realmente.

Una persona segura de sí misma conserva la calma sin debilitarse y no considera a priori cada relación como un posible altercado. No da signos de exasperación o de malicia, pero sabe alzar el tono con maestría y sin vehemencia cuando hay una amenaza presente. Cuenta consigo misma, y se apoya en su experiencia, su saber y su destreza, siendo consciente de los límites de sus competencias. Sabe cuestionarse a sí misma y calibrar su actitud, con criterio, es decir, únicamente si ello permite sacar algún provecho de cara a mejorar su conducta futura, absteniéndose de introspecciones y cavilaciones estériles.

Ante todo, hay que saber comunicar

«Comunicar», etimológicamente, significa compartir, poner en común. Una comunicación basada en la autoafirmación es una comunicación activa e interactiva.

Uno no se contenta con escuchar, pero tampoco se limita a hablar. Intenta transmitir comunicando, pero también aprender. Formula explícitamente sus puntos de vista de la manera más positiva posible, pero acepta las diferencias de opinión. Deja de lado todo lo posible sus a priori, sus ideas aprendidas y otras opiniones preconcebidas, y se abstiene de buscar sistemáticamente dobles sentidos o de atribuir intenciones inconfesadas o inconfesables a las palabras o el comportamiento de todo interlocutor. Reconoce cuándo está de acuerdo o cuándo aprecia las palabras o las actitudes del otro. Tiene en cuenta las anteriores interacciones con ese interlocutor, aunque sin dejarse interferir demasiado por ellas, y se obliga a dar una nueva oportunidad a cada nueva interacción. Expresa lo que quiere decir, lo que cree, piensa, siente o imagina de modo claro, sin artificio, sin denigrar ni buscar la polémica.

Los tiempos de escucha y de expresión deben estar equilibrados, y hay que asegurarse constantemente de haber entendido bien lo que el otro quiere decir, y de que él también nos haya entendido bien a nosotros, a fin de evitar cualquier malentendido presente o futuro. Se escuchará al otro activamente, pero sin olvidarse de escucharse a uno mismo para poder dominar bien las propias palabras.

El gesto y la actitud

La comunicación es también una cuestión no verbal. Hace falta, en toda circunstancia, unir el gesto a la palabra: el cuerpo expresa también la seguridad de una persona.

Las reglas básicas son: mirar al interlocutor a la cara sin por ello clavar nuestra mirada en la suya (podemos mirarle a la boca); hablar de forma clara pero tranquila, sin violencia; mantenerse erguido, pero sin mostrar una actitud de amenaza (señalar con el dedo o adelantar la barbilla). Si hay que ser conscientes de todo esto y perfeccionar nuestra comunicación no verbal, también conviene aprender a decodificar la de nuestro interlocutor a fin de apreciar lo que verdaderamente quiere expresar (la comunicación no verbal subraya la comunicación verbal, pero a veces la contradice) y asegurarse de que capta el sentido de lo que decimos.

Ni inhibidos ni agresivos: ni actuar como un ratón en su madriguera, ni tampoco lanzarse a por todas como un elefante en una cacharrería. No nos mantengamos siempre a la espera, pero tampoco nos mostremos perentorios ni cortantes. Demos una imagen de rectitud, de honradez, de franqueza, sin parecer fríos ni crispados.

Al hablar, uno se «abre»: abre los ojos, para observar las reacciones del otro; la boca, para articular bien; las manos y los brazos, para arropar lo que se dice y acoger al interlocutor; la nariz y los pulmones, inspirando para que la voz llegue y no nos falte aliento; los pies, para permanecer estable frente al otro (los pies hacia dentro son un signo de repliegue sobre sí mismo).

La voz ha de ser clara, ni ahogada ni atronadora, y no se debe mostrar ni desganada ni demasiado atropellada. Se trata de tomarse tiempo para explicar bien lo que uno tiene que decir. Evitando la precipitación, no olvidando respirar, se controla también la expresión de eventuales signos de ansiedad.

Hay que prestar atención a las reacciones físicas del interlocutor a fin de adaptar su discurso y de medir el impacto de nuestras palabras sobre él.

Un discurso claro y categórico

Para autoafirmarse —jamás lo diré bastante—, hace falta que el contenido de nuestras palabras sea claro, que contenga un mensaje explícito. Una de las reglas de oro es emitir un solo mensaje a la vez, aunque se exprese de varias formas distintas para que se entienda bien. Se trata, pues, de pensar en el mensaje principal que se quiere transmitir; de ir al grano, reservando los mensajes complementarios para cuando llegue la hora de argumentar.

Si se asocian varios mensajes a un mismo discurso, se corre el peligro de confundir el sentido y el alcance de cada uno de ellos. Pueden entonces parecer contradictorios; de hecho, a veces lo son, puede que porque seamos ambivalentes, o bien porque tratemos de atenuar el alcance de un mensaje del que nos sentimos culpables ahogándolo en medio de otros que juzgamos más amables.

No mostrarse agresivo no significa, ni mucho menos, que no haya que expresar reproches. En ese caso, no hay que dudar en tomarse tiempo para describir bien la actitud o las palabras que se critican, así como las repercusiones que tienen para nosotros. Elegiremos el momento, a fin de que esa explicación no pase desapercibida. Precisaremos bien los diferentes tipos de consecuencias para nosotros (concretas o afectivas). Luego podremos hacer propuestas, con el fin de encontrar soluciones a los problemas planteados.

Cómo responder a los reproches

Si es a usted a quien le toca recibir reproches, en un primer momento tiene que dejar de lado sus reacciones afectivas inmediatas y escuchar con atención el detalle de las críticas que se le formulan.

Si le parecen demasiado generales o demasiado vagas, pida explicaciones, precisiones y aclaraciones. Si las críticas siguen siendo vagas, critique a su vez su carácter impreciso o indefinido.

Si esos reproches le parecen justificados, reconózcalo y admita entonces como legítimas las consecuentes emociones de su interlocutor. Entonces será el momento de que explique su conducta, y luego de que exprese lo que piensa hacer al respecto: excusarse, cambiar de actitud, proponer un compromiso, o persistir en su postura.

Si los reproches le parecen ilegítimos, dígalo. Y repítalo si es necesario. Puede admitir las reacciones afectivas del otro, teniendo en cuenta lo que él cree que es la verdad, pero sin ceder con respecto a la afirmación del carácter infundado de los reproches. Argumente, con ejemplos si es posible, para mostrar la falta de fundamento, y si no logra convencer al otro, prescinda de esa divergencia.

Frente a una demanda que le parezca injusta o que corra el riesgo de causarle un perjuicio, reaccione como ante un reproche ilegítimo, expresando su rechazo, que luego puede argumentar o no. Puede contentarse diciendo, en respuesta a tal demanda, que no tiene ganas de responder a eso, y de repetirlo una y otra vez si es preciso.

Descubra lo que le impide autoafirmarse

A fin de poder autoafirmarse por otro medio que no sea el sobrepeso, es importante que descubra lo que obstaculiza su autoafirmación y lo que le genera una falta de autoconfianza.

El miedo a los conflictos es una motivo frecuente de falta de
autoafirmación, a menudo porque esta última se confunde con la
agresividad. Y al retener la agresividad, porque uno es una persona bien educada, puede llegar a dejarse pisotear. Evitar los conflictos tiene sus ventajas: evitamos el miedo inherente a toda «pelea» anunciada, nos sentimos contentos con nosotros mismos
por haber sabido apaciguar la situación, los demás nos agrade-
cen que hayamos cedido, y además pasamos por ser unos már-
tires, dispuestos a sacrificarse. Pero esas repetidas frustraciones
se acumulan con el transcurso del tiempo. Los demás acaban
por tenernos cada vez menos respeto, incluso por abusar de lo
que perciben como una debilidad nuestra. Ya no cuentan con
nosotros y dejan de considerarnos unos interlocutores fiables.
Llegan a despreciarnos por ser siempre del parecer del último
que habla y porque parece que no tengamos personalidad.

La cólera reprimida, los conflictos internos y la baja autoestima cuando uno acaba por verse no como un mártir, sino
como un «primo», un «gilipollas» o una «víctima», dan lugar a
diversos trastornos psicosomáticos y, en especial, al sobrepeso
emocional.

Sin embargo, no temer los conflictos tampoco significa que
haya que buscarlos y provocar gratuitamente a cualquiera.

Por último, si autoafirmarse significa especialmente saber
decir no, también hay que saber decir sí: sí a sus verdaderas ganas, a sus deseos profundos; y saber decir «sí, gracias» a quien
corresponda. Los conflictos no son indispensables.

Cuando alguien, por su actitud repetida, sea una fuente de

estrés para usted, la alternativa no es ni no decir nada por miedo a enemistarse con él y dejar fermentar en su interior esa contrariedad sine díe, ni, dado que está usted harto, estallar y romper las relaciones con el otro. Autoafirmarse es también practicar el arte del compromiso. Es lo contrario de la concesión. En la concesión, cedemos, nos sacrificamos y salimos perjudicados. En el compromiso, encontramos una solución que conviene a ambas partes.

Las cadenas de la infancia, que se remontan a los primeros años y que nos impiden autoafirmarnos, suelen ser las más difíciles de detectar. He aquí algunas:

- El modelo de unos padres inseguros de sí mismos, frustrados y sometidos a otros.
- Un entorno de desvalorización, denigración, mofa, maltrato o culpabilización.
- Un entorno sobreprotector, inquieto, que no deja iniciativa alguna por temor al accidente o al fracaso; o, más inconscientemente, por temor a la propia emancipación.

Se trata, pues, de liberarse de esas cadenas, o más bien, ahora que ya es adulto, de liberar al niño que fue quitándoles a sus familiares el derecho a decidir por usted y escogiendo otros modelos. Y de paso, aléjese de las personas de su entorno actual que le recuerdan demasiado a las de su infancia, y que, tal como éstas hacían, le rebajan y refuerzan su falta de seguridad en sí mismo.

13

Luchar contra la culpabilidad

Cómo nace la culpabilidad

De niños, fuimos integrando progresivamente las diferentes reglas y prohibiciones transmitidas por nuestros padres. Así se estableció un «yo ideal», es decir, un modelo ideal al que deseamos parecernos. Este modelo habitualmente corresponde a lo que pensábamos que nuestros padres querían que fuésemos. De ese ideal nacerá, en el niño que se observa a sí mismo y compara su ideal con la realidad de su comportamiento, un estado de satisfacción, o bien de insatisfacción y culpabilidad. Cuanto menos fáciles de satisfacer sean los padres, más elevado será su nivel de exigencia, y mayor riesgo correrá el niño de sentirse infravalorado y de vivir, a largo plazo, con un permanente sentimiento de culpabilidad o, cuando menos, cierta tendencia a culpabilizarse.

El niño se siente tan culpable de sus acciones como de sus pensamientos. Hacer una tontería o tener ganas de hacer una tontería reviste a sus ojos la misma gravedad. Y ello porque, para él, acción y pensamiento tienen un valor intrínseco muy próximo. De ahí la represión de ciertos pensamientos, deseos o fantasías de la primera infancia. Pero unas represiones demasiado intensas favorecen, como contrapunto, el afloramiento de pensamientos negados a la superficie del consciente, y, en consecuencia, alimentan un fondo de culpabilidad. Las prohibiciones suelen ser frenos a las pulsiones.

La adquisición del sentimiento de culpabilidad es indispensable. Éste se adquiere desde los primeros años de vida gracias a la educación. Su interés reside en que limita el sentimiento de omnipotencia que domina al hombre en ciernes cuando descubre sus diferentes poderes (andar, hablar, razonar, seducir, etcétera). Gracias a su mediación se conquista la autodisciplina y la aptitud de respetar las reglas, las leyes y las prohibiciones fundamentales (en especial, la prohibición de la antropofagia o del incesto). Asimismo, interviene en el respeto por la libertad y las necesidades del prójimo, que permite una vida social armoniosa. Si careciéramos de cualquier sentimiento de culpabilidad nos regiríamos por la ley de la selva, ya que los animales están desprovistos de él (que se sepa).

Sin embargo, la culpabilidad resulta perjudicial cuando se da en exceso, de una manera generalizada, o, sobre todo, cuando está fuera de lugar. Es útil si evita malas acciones perjudiciales para otros; es inútil si no se deriva de malas acciones (sino, simplemente, de malos pensamientos), si esas malas acciones no perjudican a nadie, o si no tienen ninguna consecuencia nefasta. Está fuera de lugar si su presencia todavía nos invade a pesar de haber sido castigados o de que se haya reparado la falta.

Diferentes modos de expresarla

La culpabilidad se expresa algunas veces bajo la forma de comportamientos subsidiarios; es decir, la persona culpable se consagra totalmente al prójimo, como si se olvidara de sí misma y se sacrificara a los demás. Eso no tiene por qué traducirse necesariamente en una afiliación a asociaciones humanitarias, sino, más sutilmente, en determinados posicionamientos con respecto a los demás, servicios que se les puede prestar, renuncias a las propias necesidades, lo que le hará situarse sistemáticamente en un segundo plano con relación a los deseos del otro. Este comportamiento de redención no se vive como una expiación, dado que el sacrificio no se percibe como un castigo. Podemos, sin embargo, encontrar posturas expiatorias cuando un individuo se impone más o menos conscientemente una pena moral (privándose de actividades agradables) o, más raramente, física (aumento de peso u otras formas de negligencia corporal).

La culpabilidad no favorece sistemáticamente los buenos comportamientos. El niño o el adulto puede reaccionar mediante una huida hacia delante, y paradójicamente se defenderá de la vergüenza y la culpabilidad llevando aún más lejos la transgresión, en una lógica que se parece al «todo o nada»: «Cuando como en exceso, me ocurre que me digo a mí misma que, una vez que he empezado, da igual continuar», me explicaba Anne.

Hay también mecanismos de negación de la culpabilidad. Parece que esté superada, pero puede aprovechar los sueños para expresarse bajo la forma, por ejemplo, de terrores nocturnos.

Razones personales

Podemos sentirnos culpables por un número infinito de razones, objetivas o no. Cada uno tiene una relación muy particular con la culpabilidad en función de su escala personal de valores. Y, para una misma falta, la aparición y la duración del sentimiento de culpabilidad dependerá asimismo de circunstancias que para él pueden ser o no atenuantes o agravantes.

Puede tratarse de un sentimiento de culpabilidad global y

casi permanente que afecta de manera indiferente a acciones, pensamientos y palabras. O bien de un sentimiento de culpabilidad profundo y único que sólo desaparece de manera provisional para volver a despertar tan pronto como se presenta una ocasión apta para recordarlo, como el dolor de una astilla clavada cuando se ejerce presión en la zona.

Las personas que se sienten fácilmente culpables son a menudo las que tienen un gran sentido de la responsabilidad. De hecho, querer hacerse cargo de las personas del entorno, aceptar las diversas responsabilidades, comprometerse con un montón de cosas, favorece el sentimiento de culpabilidad si luego no se desarrolla todo perfectamente como se había previsto.

Algunos deben su culpabilidad a una educación que la ha cultivado y la ha hecho crecer. «Cada vez que me encontraba ante un problema —me confiaba Édouard—, lo primero que me preguntaba mi padre era qué había hecho para que me ocurriera eso.» «De niña, mis padres me confiaban constantemente la responsabilidad de mi hermana pequeña —recuerda Juliette—, y me hacían culpable de todas sus tonterías y de todos los problemas que tenía.»

Una educación no culpabilizadora, pero que sitúa al niño en el centro de todo, también favorece un permanente sentimiento de culpabilidad. Serlo todo para tus padres: ¡menuda responsabilidad! Cuando el mundo gira en torno a uno y parece marchar bien sólo gracias a uno, hay motivos de sobra para sentirse responsable y, por lo tanto, culpable de todo lo que pasa a nuestro alrededor.

Otros acontecimientos de la vida pueden ser fuertemente culpabilizadores. Explicaba Catherine: «Siempre he tenido una duda sobre mi concepción. La sospecha acerca del adulterio de mi madre nunca me ha abandonado del todo. Mi padre siempre ha dudado de mi filiación, sin hablarme nunca de ello directamente. Siempre me he sentido ilegítima, y, como tal, he vivido con una falta de seguridad y un sentimiento de culpabilidad permanentes, como si cargara con la falta de mi madre».

Maximilien se consideró durante mucho tiempo responsable de la enfermedad de su hermana, víctima de un cáncer óseo en la pierna cuando los dos eran unos chiquillos. De hecho, el cáncer se reveló con ocasión de una fractura provocada a consecuencia de una pelea entre ellos, en un hueso ya debilitado por la enfermedad. Falto de explicación, Maximilien, en su imaginario infantil, estableció un lazo directo de causa y efecto entre aquella disputa y el duro proceso de la enfermedad de su hermana. Muy pronto sofocó su culpabilidad con un aumento de peso que conservó hasta la edad adulta. Sólo a raíz de una psicoterapia realizada cuando tenía más de treinta años descubrió su error psíquico.

Entre las culpas imaginarias, citemos el caso de Aurélie. Cuando sus padres se separaron, era una adolescente, y pidió permanecer bajo la custodia de su padre, lo que el juez aceptó. Ella sentía una culpabilidad inconsciente, imaginando que su padre, que no volvió a vivir en pareja, la había preferido a ella antes que a su madre. Dado que su culpa «edípica» era la de haberle quitado el marido a su madre, imaginaba ser la responsable del divorcio, más aún porque se había aliado con su padre al producirse los conflictos en la pareja.

Deje de castigarse

Muchas personas con sobrepeso comen con o sin hambre, por necesidad, por ansia, por costumbre, por reflejo, por instinto, por aburrimiento, para calmar una ansiedad o una tristeza, camuflar emociones, etcétera, pero no siempre, ni mucho menos, por placer. Engordar tampoco resulta (por regla general) satisfactorio. Obviamente, ya hemos visto que engordar o comer confiere a algunas personas ciertos beneficios secundarios. Pero no a todas. Hay casos en los que, por el contrario, equivale a un castigo que se infligen a sí mismas.

Castigarse comiendo: la idea no resulta tan descabellada cuando se piensa en la historia del suplicio de Tántalo. Pero es sobre todo en los mitos contemporáneos donde más se desarrolla la idea: en la película *Seven*, el morboso *thriller* sobre los siete pecados capitales, la gula se ilustra mediante un hombre condenado a comer hasta morir. Comer en exceso, y, en consecuencia, engordar, a veces se inscribe en una conducta autoagresiva. Se trata de hacerse daño a uno mismo, posiblemente en el contexto de un erotismo masoquista, pero la mayoría de las veces para castigarse por faltas cometidas, reales o imaginarias.

Para saber si usted se castiga comiendo en exceso, anote todas las posibilidades de bienestar a las que su peso le impide acceder. Si la lista es mucho más larga que los beneficios que le proporciona el alimento, puede sospechar la presencia de un comportamiento autopunitivo. Y ya no habrá ninguna duda de ello si su comportamiento se intensifica y usted engorda cuando le pasan cosas positivas. Ciertamente, el descubrimiento de una culpa pasada es tan importante como el móvil de un crimen. Luego vendrá el tiempo del perdón. Nos perdonaremos nuestra culpa considerando que ya se ha expiado bastante o proponiendo una forma de indemnización simbólica. En el caso de una culpa imaginaria, será ante todo el análisis del carácter infundado de dicha culpa el que permitirá liberarse de ella. Pero la reparación simbólica seguirá siendo eficaz. Hablar de ello con la supuesta víctima a fin de aclarar las cosas y obtener el perdón fue el método escogido por Aurélie, que habló con su madre acerca de su sentimiento de culpabilidad y recibió de ella palabras tranquilizadoras.

Las razones para castigarse aumentan con el paso del tiempo y la acumulación de nuevas culpas, reales o imaginarias. Entre ellas, el incumplimiento de las reglas del régimen que uno se ha impuesto y las diferentes «recaídas» son otras tantas faltas que se castigarán… comiendo más.

Una culpabilidad antigua o un sentimiento de culpa permanente, así como otras formas ocasionales de culpabilidad, llevan a comer sin hambre para reconfortarse o para castigarse.

La ingesta alimentaria, por el placer o las sensaciones que procura, puede enterrar el sentimiento de culpabilidad o desviarlo provisionalmente. O bien puede ocurrir que lo reactive o lo transforme en otra forma de culpabilidad: la de comer cuando se ha decidido perder peso.

En el otro extremo, comer sin hambre y porque sí es el equivalente a una penitencia, un modo paradójico de quitarse el peso de la culpa, una forma de castigo corporal. ¿No es precisamente ésa la pena reservada a los golosos (o, mejor dicho, a los glotones y a los voraces) en el infierno? Puede parecer sorprendente que un castigo proporcione placer, pero el espíritu humano está hecho de tal forma que los castigos, las sevicias prolongadas, inducen mecanismos que se podrían calificar como de «erotización masoquista», especialmente a través de la secreción de endorfina, que hacen de la expiación una fuente de satisfacción.

¿Cómo liberarse de ello?

Cuando uno alberga un sentimiento de culpabilidad, intenta esconderlo todo lo posible tanto a los demás como a uno mismo, hasta el punto de desconocer sus fundamentos. Sin embargo, es

importante confiarse a alguien en lugar de cavilar innecesaria-
mente sobre dicha culpabilidad. Las cavilaciones son como una
dinamo que nos carga especialmente de sobrepeso emocional.
Que la hipótesis de una falta sea una ocasión para hablar de sí
mismo y para analizar, entre otras cosas, las raíces, objetivas o
no, de esa penosa percepción. Y si la culpabilidad está justificada, entonces es posible la redención de dicha falta. Aun así, debe
mantenerse en unas proporciones razonables y no convertirse
en un pozo sin fondo.

La redención no debe dirigirse necesariamente hacia la persona frente a la que uno se siente culpable, y que a veces ya no
está. El bien que se hace a otros a menudo contrarresta el mal
que se haya podido hacer: es el principio de la cadena del amor.
Se basa en el mismo principio que la deuda de amor debida a los
padres, que puede parecer imposible de saldar, pero que se adap-
ta a los propios hijos mediante la atención y el cuidado que se les
presta. No se trata de expiar, sino de encontrar un motor suplementario al bien que se puede hacer.

Sin embargo, la culpabilidad, ya sea en sus raíces, su duración
o su intensidad, a menudo es injustificada. En ese caso, hay que
descubrir los pensamientos erróneos que la alimentan. El catas-
trofismo es uno de esos modos de pensamiento, que consiste en
hacer una montaña de un grano de arena. Así pues, es conveniente mantener un sentido de la proporción. ¿Son realmente
tan graves las consecuencias de lo que usted ha hecho, pensado
o dicho? ¿Y tiene pruebas de las presuntas consecuencias de sus
actos? Aprenda a diferenciar los hechos de los pensamientos. Es
cierto que uno puede sentirse culpable de actos que han causado perjuicio a otros, en cambio es libre de tener los pensamientos más negativos. Renuncie a creer en el pensamiento mágico:
por más que usted le haya deseado mal a alguien, no es responsable si de hecho le sucede algo malo.

Deje de juzgarlo todo, y sobre todo deje de juzgarse a sí mismo con mayor severidad de la que aplica al prójimo. ¡Basta de personalizar!: usted no es el centro del universo ni el único responsable de todo lo que ocurre a su alrededor. Es verdad que quienes no hacen nada no corren el riesgo de sentirse culpables de los errores cometidos. Cuantas más responsabilidades asumimos, más nos exponemos a hacer las cosas mal; pero lo que hay que mirar es el balance globalmente positivo. Sea consciente, pues, de que su culpabilidad ligada a tal o cual falta no debe enmascarar todo lo que ha conseguido por otro lado. Aprenda a ser tan tolerante con usted mismo como lo es con los demás. Haga las paces consigo mismo.

14

Encontrar la armonía interior

La armonía de la existencia requiere que uno tenga la posibilidad de cumplir cada día con los deberes cotidianos (lavarse, ir al trabajo, cuidar de los hijos, ordenar la casa, realizar trámites administrativos, etcétera) y disponer de lo que nos resulta necesario, ya sean bienes materiales o espirituales (amor de la pareja, sensación de tener buena salud...). Pero también hace falta que uno esté en condiciones de disfrutar de todo eso, es decir, que se entienda lo suficientemente bien consigo mismo para hacerlo. De ahí que, a fin de encontrar la armonía interior, primero haya que desembarazarse de una culpabilidad fuera de lugar y aprender a soltar amarras responsabilizándose de aspirar al mayor bienestar posible.

En la lucha contra el sobrepeso, estamos condenados al fracaso si abordamos el problema de frente, y al final se trata siempre de un combate interior. Ahora bien, es un error creer que adelgazar es una batalla contra uno mismo. Los regímenes voluntaristas y agresivos sólo causan perjuicio. Se trata de hacer exactamente lo contrario: de ayudarse a sí mismo.

Deje de luchar

Deje de vivir su proyecto de adelgazamiento como si fuera una lucha. No es así como se mantendrá delgado a largo plazo, sobre todo en lo que se refiere al aumento de peso emocional. No declare la guerra: ni a los kilos, ni a los alimentos, ni, sobre todo, a usted mismo. Al contrario: firme la paz.

Su sobrepeso no es el responsable de sus problemas de regulación emocional: es tan sólo la consecuencia. Refleja sus preocupaciones y sus malentendidos consigo mismo. Está ahí con una finalidad protectora, como una armadura, esperando a que usted sea más fuerte interiormente o se inquiete menos por el mundo que le rodea para poder desembarazarse de él. Otras veces es sólo la expresión, el portavoz, de un malestar.

Los alimentos no son sus enemigos. No tienen nada contra usted. Todos los necesitamos para vivir: son nuestro combustible y nuestro material de construcción y renovación. Son también una formidable fuente de placer. El mal uso que se hace de ellos es el que puede causarnos perjuicio.

No rompa las hostilidades: sin duda, sería usted la víctima. Resultaría tan absurdo como suicidarse con la esperanza de cambiar de vida. Deje de dividirse en dos personas distintas. Justo lo contrario: aliándose consigo mismo es como resolverá el problema de su sobrepeso emocional. Recupere su unidad interior. Descubra su verdadera naturaleza. Desentrañe los conflictos internos que siembran cizaña dentro de su ser. Pero hacer las paces consigo mismo es lo contrario de rendirse: es lanzarse a una búsqueda y retomar o tejer los hilos entre las diferentes entidades propias a fin de hallar coherencia y unidad.

Algunas veces dejar de hacerse la guerra implica aprender a soltar amarras. Y para no precipitarse sobre los alimentos, hay que aprender a escuchar los verdaderos deseos. Saber lo que uno desea y lo que necesita no es fácil para todo el mundo, más aún teniendo en cuenta que hoy se oscila entre los dos extremos, que son la satisfacción inmediata y su reverso, el control absoluto del placer.

Al principio de la vida lo queremos todo y nada, es decir, nada de lo que se nos propone, ignorando lo que nos gustaría que se nos propusiera a cambio. Para saber lo que se quiere primero hay que haberlo saboreado, y nos aguardan muchas cosas cuyas delicias se presienten, pero cuyo sabor se ignora. Al crecer, gracias a la educación, aprendemos a conocernos y nos definimos también a partir de la especificidad de nuestras necesidades y deseos.

Por desgracia, hoy la satisfacción inmediata es la ideología dominante. La felicidad aquí y ahora. Y se desprecia la contención. Ya no creemos en un mañana mejor, y a quienes persisten se les dice que «más vale un toma que dos te daré». La «adulescencia», un nuevo término con el que se designa a los actuales adultos que no acaban de crecer, se aviene muy bien con ese rechazo de las frustraciones característico tanto de los niños pequeños como de los adolescentes. El «todo, aquí y ahora» tiene su corolario, el «todo o nada». La ascesis, y su versión alimentaria que es la anorexia, representan la otra cara de este abandono al placer glotón. En la ascesis, según Amélie Nothomb, que pasó por un período de anorexia al principio de su adolescencia, «se trata de gozar de algo en la privación absoluta de ese algo». La omnipotencia del niño-rey se muestra aquí en el triunfo sobre sus necesidades fisiológicas; a menos que no se trate más que de aumentar la intensidad del placer en la «rendición» bulímica que sigue a veces a la contención anoréxica.

Para encontrar la armonía consigo mismo, huya de la glotonería o de la anorexia. No hay que tener miedo a darse placer, pero descubriendo las verdaderas necesidades, los verdaderos deseos, las verdaderas ganas. Esto forma parte de la búsqueda de sí mismo.

Haga balance de sus deseos

Encienda su ordenador (un papel y un lápiz son igualmente eficaces) y anote, para cada uno de los ámbitos de su existencia, lo que le conviene, lo que le gustaría mejorar y lo que debería suprimir para sentirse mejor.

Trabajo. Defina su trabajo en términos cuantitativos y cualitativos: ¿tengo el oficio que querría tener? ¿Hago lo que me gusta? ¿Consagro demasiado tiempo o demasiado poco a mi trabajo?

Evalúe cada uno de estos puntos para ver lo que se puede mejorar: organización (distancia, horarios, ritmo, días libres); condiciones de trabajo (espacio, intereses); relaciones profesionales (compañeros, patrón, usuarios, clientes); salario y proyectos profesionales (objetivos, formación profesional: lo que es posible y cómo realizarlo).

Ocio. Haga balance de sus pasatiempos actuales. Compárelos con los del pasado. Proyecte nuevas actividades de ocio o de vacaciones. Piense en su organización en términos de tiempo y de presupuesto.

Salud. Fecha del último chequeo. Necesidad de un chequeo. Acciones de prevención (deporte, dejar el tabaco o el alcohol, vacunas, dieta).

Amor. Calibre sus sentimientos, en el plano cualitativo y cuantitativo, así como su evolución. Evalúe los de su pareja. Mida el tiempo compartido y estudie las posibilidades para pasar más tiempo juntos. Hable con su pareja sobre su historia y sus proyectos comunes. Haga balance de las barreras (trabajo, familia política, ritmo de vida) y los lazos de unión (pasatiempos comunes, sexualidad, hijos, amigos comunes).

Amistad. ¿Sus amigos son verdaderos amigos, o sólo relaciones más o menos amistosas? Evalúe el tiempo que les dedica. Identifique los obstáculos y los lazos de unión. ¿Qué se hizo de sus amigos de ayer? Cultive las amistades que se han debilitado. Estudie las posibilidades de nuevos encuentros.

Familia. Haga una lista de los aspectos positivos y de los temas de preocupación con respecto a sus ascendientes, sus hermanos y sus hijos. ¿Qué puede mejorar? Anote las renuncias necesarias, las prioridades de acción (escolaridad, salud, pariente enfermo, tiempo compartido con los hijos).

Puntos de interés. Anote lo que le gusta en la vida y verifique que saca el suficiente provecho de ello. Deje también constancia de lo que no aprecia y de lo que se ve obligado a hacer.

Apariencia. Descríbase tal como se ve a sí mismo. Tal como es en el fondo (hágalo con los ojos cerrados). Tal como le ven los demás. Tal como le gustaría ser.

Obviamente, esta lista no es exhaustiva. No vacile en rehacerla repetidas veces hasta dejarla definida. El objetivo es no descuidar ninguna de las diferentes parcelas de lo que constituye nuestra existencia de hoy y de lo que podría constituir la de mañana. Se puede dar más peso a la apariencia o a la salud, pero éstas son sólo partes de un conjunto que es la persona en su globalidad. Lo que nos define es un conjunto de identidades. Por ejemplo, si es usted mujer: la madre, la pareja, la amiga, la profesional, la colega, la paciente, la vecina, la compañera de deporte, etcétera. Cada una de estas facetas tiene sus propios deseos, necesidades, preocupaciones, éxitos, contrariedades y objetivos. Todo ello genera emociones que actúan sobre la silueta. Remodelar el conjunto de su identidad le dará la posibilidad de modificar su apariencia. Pero, para poder remodelarla, primero hay que descomponerla punto por punto.

En un segundo momento, una vez establecido el balance vital, actuaremos para reforzar los puntos saludables de nuestra existencia y mejorar los puntos que merman el bienestar (por ejemplo, una mejora necesaria de las relaciones con los colegas, o la necesidad de tomar distancia con respecto a los padres).

Confíe en sí mismo

Para encontrar la armonía interior, hay que estar a la escucha de sí mismo y aprender a conocerse. Pero primero hace falta confiar en uno mismo. No hay nadie más como usted. Deje de compararse con los demás. Su destino está por escribirse. Si cree que ahora es lo que los demás le han hecho ser, conviértase en lo que le hará ser usted mismo. Como todo el mundo, no está utilizando más que el 10% de las capacidades de su cerebro, y hay en usted potencialidades que jamás ha explotado. Ya no es un niño, pero le quedan tantas cosas por aprender como las que aprendió aquel niño para convertirse en la persona que es hoy. Escuche sus razonamientos, sus valores, pero también sus emociones, su intuición y sus verdaderos deseos.

Acepte que no puede controlarlo todo, que el futuro es incierto y que la vida es una aventura: ella le abre los brazos, y usted no puede hacer otra cosa que confiar en ella. No conceda a los disgustos de la vida más importancia de la que tienen. No deje nada de lado, y no tome la opción que se le propone como la única posible en la existencia. Aprenda a decir sí, y no sólo «sí, pero», si es que ya sabe decir no. Renuncie a acceder a las cimas imposibles de alcanzar, pero no vacile en escalar la pendiente para llegar a lo más alto. Ante las frustraciones, abandone, tenga paciencia, dé un rodeo o empiece de nuevo más tarde. Plantee tantas preguntas como se plantea a sí mismo, y plantéese tantas preguntas como le plantean a usted. No se sienta obligado a tener respuesta para todo.

Identifique sus gustos, sus aversiones, sus aspiraciones, sus habilidades, sus emociones dominantes o soterradas, sus creencias, sus miedos, sus dudas y sus certezas. Para ello, se trata de estar atento al propio cuerpo y a las propias necesidades, de identificar las diferentes señales que éste le transmite, tales como los signos de cansancio, de tensión interior, de deseo sexual o de hambre. Aproveche aquellos momentos en los no tiene que acometer nada en concreto, como los trayectos en tren o en autobús, las salas de espera o los momentos antes de dormirse, para concentrarse en las percepciones de su cuerpo en el instante presente, rememorando también las de la jornada.

Rompa sus hábitos

Optar por vivir otras situaciones es también otro modo de descubrirse. Somos totalmente prisioneros de unos hábitos de vida que representan una cárcel de oro, ya que ésta nos da tranquilidad, pero a la vez aquéllos nos privan de la libertad de ser totalmente nosotros mismos. Someterse a la prueba de la novedad requiere un esfuerzo de nuestra tranquilidad de espíritu, pero da chispa a la existencia y, una vez más, proporciona nuevos puntos de vista sobre uno mismo.

Adopte nuevos comportamientos con la gente, haga lo contrario de sus reacciones habituales, simplemente para ponerse a prueba. Allí donde habitualmente decía que no cuando se le pedía algo, diga ahora que sí, y viceversa. Se verá confrontado a las reacciones de sorpresa de sus allegados, en todo caso a reacciones inesperadas que, por otra parte, le ilustrarán sobre ellos. Pero también verá que usted puede ser diferente y, de hecho, actuar de manera distinta con el prójimo. Cambie también de comportamiento puntualmente en un primer momento consigo mismo: maquíllese por la mañana si habitualmente no lo hace, o vístase de manera más descuidada si suele ir de punta en blanco, y anote tanto las reacciones de los demás como sus propias percepciones. Cambiar su rutina es también modificar su ritmo de vida: levantarse tarde el domingo para quienes no lo hacen o, al contrario, poner su despertador a una hora temprana para sorprenderse al ver todas las cosas agradables que se pueden hacer un domingo por la mañana; cambiar de trayecto para ir al trabajo; ir a comer al bar, en lugar de al bufet de la empresa, sin razón previa, sino simplemente para ponerse a prueba y, por tanto, para conocerse mejor.

Interprete un papel: el suyo

Reagrupar nuestras identidades parcelarias para descubrir nuestra identidad global permite saber verdaderamente quiénes somos y ser sinceros con nosotros mismos, pero sin que eso nos impida interpretar.

Interpretar un papel, solo o con otros, es un modo de experimentar lo que uno podría ser y, algunas veces, de liberar potencialidades que hay en nosotros y que sólo aguardan a ser explotadas, pero de las que no teníamos conocimiento. Esas potencialidades, esos rasgos de carácter, esas emociones, son como brotes o semillas que jamás se han regado en el curso de nuestra existencia, o se han regado insuficientemente, y han permanecido latentes, esperando a que las circunstancias las hagan crecer. Si dichas circunstancias no se producen, podemos dejar escapar completamente algo que habríamos podido ser, algo que también somos. Interpretar un papel es una tentativa de ir a su encuentro para descubrirlas después de cultivarlas. Por ejemplo, usted, que se considera una inepta para la cocina, láncese, haga como si fuera una buena cocinera, abra un libro de recetas y siga las indicaciones, imaginando que está interpretando el papel de una cocinera. Posiblemente el resultado no esté a la altura de la cocina de su madre, pero, sin duda, será menos malo de lo que usted habría creído.

Permítase disfrutar

Tal como hemos visto a lo largo de este libro, el sobrepeso emocional es a menudo consecuencia de conflictos psíquicos, de frustraciones, de castigos que uno se impone a sí mismo. Si usted realmente come por placer, por gula, y no por pulsión, ansia repentina, hábito, aburrimiento, pena, cólera u obligación (por ejemplo: «Mi dietista me ha dicho que tengo que comer por la mañana para estar en forma»), hay pocos riesgos de que adquiera un sobrepeso emocional. Cuando se come por placer (excepto en los casos en que el placer sentido es una fuente de culpabilidad), no se necesita comer mucho. Y ello porque los primeros bocados son los mejores; luego el placer se atenúa. El placer viene también de la desaparición de la sensación de hambre debido al aumento de la glucemia.

Pero no hay que confundir los placeres. En especial, hay que distinguir el placer del paladar con el de compartir un momento de convivencia con amigos en torno a una comida. Hay que conservar esos momentos de convivencia porque son buenos para la moral, es importante mantener ese placer de estar con los amigos, de reír, de conversar, sin confundirlo con el de engullir desenfrenadamente, es decir, más allá de lo que aconseja el hambre. La ligereza de esos momentos se aviene muy bien con la ligereza de lo que se consuma.

Y a la inversa: no coma si ello no le causa placer. Si lo que está en su plato no le conviene, no se fuerce por miedo a desagradar a su anfitrión o por temor a tener hambre más tarde. No dude en decir que no tiene hambre, y conserve algo que le guste si le da miedo tener hambre más tarde. Manténgase de acuerdo con sus verdaderas necesidades y deseos. Aliméntese de lo que le gusta comer, y niéguese a hacerlo por deber, por semiobligación (por ejemplo, porque es la hora de comer) o por temores diversos. Es una etapa primordial en la regulación que vincula sus emociones y las ingestas alimentarias. Así, evitará las calorías inútiles o indeseables y aprenderá a respetar sus deseos, a estar a la escucha de su propio cuerpo, lo que evitará el sobrepeso emocional.

En las comidas sociales con la familia o entre amigos, tendemos a comer más de lo razonable. Su carácter festivo, el alcohol que a menudo las acompaña y que nos desinhibe favorecen un abandono que arruinará varios días de restricciones calóricas. Eso es lo que incita a las personas que hacen régimen a huir de las comidas entre amigos o en familia y a aislarse para comer. Sin embargo, compartir la comida no tiene por qué ser sinónimo de desmesura. Comer solo puede parecer aburrido e insuficientemente nutritivo desde una perspectiva emocional. Compartir un almuerzo con un amigo favorece el intercambio de palabras y de emociones, y nos llena sin hacernos engordar.

No obstante, cuando salga, escoja lugares no demasiado ruidosos para que realmente pueda realizar ese intercambio. Hay estudios[1] que han revelado que en los bares donde la música es demasiado fuerte para poder entenderse se toman más consumiciones, especialmente de alcohol.

Desarrollar otras fuentes de placer no supone renunciar al placer de comer. Es aumentar el campo de las propias potencialidades de placer, y de ese modo ello permite no ser prisionero y, por lo tanto, dependiente de una sola forma de acceso al disfrute. Pruebe actividades nuevas, o bien trate de recuperar los placeres que tenía antaño y a los que renunció por diversas razones (prohibiciones familiares, incompatibilidad con la vida de pareja o con los hijos pequeños, falta de autoconfianza, contención ligada a la edad, etcétera).

---

1. Nicolas Guéguen, profesor de ciencias del comportamiento en la Universidad de Bretaña Sur.

Conclusión

Engordar no es sólo una cuestión de calorías o de ejercicio físico; es también una cuestión de emociones. Las emociones negativas, cuando son demasiado frecuentes, demasiado intensas e insuficientemente compensadas por emociones positivas, engendran sobrepeso emocional. Las emociones afectan a la elección de los alimentos, a los comportamientos alimentarios y directamente al almacenamiento de grasa. Esto vale tanto para el niño como para el adulto. Los numerosos factores que influyen en ese sobrepeso emocional representan otros tantos ámbitos en los que se puede actuar.

En el marco de una acción global sobre los orígenes, la educación recibida, si no puede rehacerse, cuando menos puede analizarse, y este distanciamiento es el primer paso hacia nuevos condicionamientos, nuevas fuentes de placer y la reinicialización de nuevas potencialidades del ser. Independientemente de la educación, el análisis de la personalidad y de la historia individual constituye la base de posibles remodelaciones internas. La lucha contra los efectos del estrés en el sobrepeso emocional pasa por modificaciones del entorno, rectificaciones de los modos de pensamiento y diferentes técnicas para limitar el impacto de lo mental en el cuerpo. La localización de las emociones que activan las posibles sobrecargas ponderales permite responder de un modo apropiado a cada una de ellas. Una vez determinadas las causas emocionales, habrá que luchar, según los casos, contra una dependencia de los alimentos o del acto de comer, un estado de ánimo depresivo, diversas obsesiones mentales, una falta de autoconfianza, una imagen pobre de sí mismo, un exagerado autodominio, una falta de voluntad, una culpabilidad que incapacita, una oposición a sí mismo, una falta de armonía interior o una incapacidad de disfrutar o de ser.

Así pues, quitarse el lastre del sobrepeso emocional y perder peso es posible protegiéndose y liberándose de emociones negativas aisladas. Dicha liberación, asociada a un reequilibrio interno, permite recuperar la verdad interior y ser por fin uno mismo y quererse a sí mismo.

Agradecimientos

A la doctora Cathy Skrzypczak, por su amistad.
Al doctor Gilles Marie Valet, por su clarividencia.
A la doctora Évelyne Bacquelin-Clerget, por su rectitud.
Al doctor Fabrice Samain, por su fidelidad.
A Mathilde Nobécourt, por su entusiasmo.
A mis padres, por su inteligencia.